COLLI CLIVE
I DDEMENTIA CYNNAR

HELEN BEAUMONT

Addasiad Elgan Philip Davies

Rhagair gan Robin Jacoby, Athro Emeritws Seiciatreg yr Henoed, Prifysgol Rhydychen

GRAFFEG

Cyhoeddwyd gyntaf yng Nghymru yn 2019
Graffeg
adran o
Graffeg Limited
24 Canolfan Busnes Parc y Strade,
Llanelli, SA14 8YP

www.graffeg.com

Cyhoeddwyd gyntaf yn 2009
gan Jessica Kingsley Publishers
73 Collier Street
London N1 9BE
a
400 Market Street, Suite 400
Philadelphia, PA 19106, UDA

www.jkp.com

Addasiad Elgan Philip Davies 2019

Data Catalogio wrth Gyhoeddi y Llyfrgell Brydeinig
Mae cofnod catalog ar gyfer y llyfr hwn ar gael gan y Llyfrgell Brydeinig

ISBN: 9781912654895
Cysodwyd ac argraffwyd gan Graffeg

I Dave,

a roddodd reswm i mi ysgrifennu hwn,

ac i Dawn,

am fy helpu i ddal ati.

Cynnwys

Rhagair

Un bore yn ail hanner yr 1990au cefais alwad ffôn gan wraig a oedd yn mynnu cael gwybod pam nad oedd ei gŵr yn cael gwisgo dyfais lwybro radio. Ynghyd â rhai cyd-weithwyr yn y Brifysgol, roeddwn yn cynnal treialon arbrofol ar foeseg ac ymarferoldeb dyfeisiadau llwybro ar gleifion â dementia. Roedd y cwmni oedd wedi rhoi benthyg yr offer i ni wedi eu datblygu i ddilyn anifeiliaid yn y gwyllt, ac roedden nhw wedi dweud wrthym nad oedden nhw'n barod i ganiatáu eu defnyddio gyda chlaf â rheoliadur y galon (*cardiac pacemaker*) am resymau cyfreithiol. Roedden nhw wedi cyfaddef wrthyf nad oedd unrhyw reswm damcaniaethol pam fyddai eu dyfais yn ymyrryd â rheoliadur, ond doedden nhw ddim am fentro cael eu herlyn.

Eglurais hyn wrth y wraig oedd wedi fy ffonio, ond doedd hi ddim am ei glywed. Dywedodd ei bod yn ffisegydd a'i bod yn deall rhywfaint o'r dechnoleg. Hefyd, roedd hi'n ddigon galluog i bwyso a mesur y peryglon oedd ynghlwm â'r offer ac wedi barnu (yn gywir, fel mae'n digwydd) eu bod yn ddibwys. Dywedodd ei bod yn barod i lofnodi dogfen a ddywedai na fyddai'n erlyn y cwmni, er na allai guddio'i dirmyg tuag at ei agwedd amddiffynnol. Roedd hi'n benderfynol o gael y ddyfais lwybro i'w gŵr, ac yn wir, fe'i cafodd.

Dyma'r tro cyntaf i fi ddod ar draws Helen Beaumont, a'i phenderfyniad rhesymol ond cwbl gadarn wedi ennill y dydd. Er nad oedd gennyf unrhyw gyfrifoldeb personol am ofal ei gŵr, roeddwn i'n gwybod amdano gan fy mod yn gyfarwyddwr clinigol prosiect OPTIMA, astudiaeth ymchwil dementia yn Rhydychen, ac roedd Clive yn rhan ohono. Mae'r llyfr hwn yn adrodd ei hanes ef, ei salwch, ei farwolaeth a'i etifeddiaeth drwy Helen, The Clive Project.

Pan oeddwn i'n fyfyriwr meddygol mewn ysbyty athrofaol enwog yn Llundain, roedd dementia yn ddiddorol ar adegau ond yn fwyaf aml yn niwsans. Roedd achosion dementia cynnar yn ddiddorol gan eu bod yn brin, ond unwaith roedd y diagnosis wedi'i wneud, dywedwyd fwy neu lai wrth y cleifion i fynd oddi yno a derbyn eu sefyllfa. Roedd y mwyafrif o gleifion a oedd â dementia y dyddiau hynny, fel nawr, yn bobl hŷn. Byddai meddygon yn ystyried y rhain yn niwsans y dylid cael gwared â nhw cyn gynted â phosibl o wely cyfnod penodol yr ysbyty, i ward arhosiad hir yng nghefn ysbyty meddwl lleol. Bu'n rhaid aros tan yr 1970au cyn i batholegwyr a gwyddonwyr meddygol eraill ddod i'r casgliad nad oedd unrhyw wahaniaeth patholegol rhwng achosion prin dementia cynnar a'r achosion mwy cyffredin o ddementia hwyr. Yn y degawd hwn y dechreuodd gwyddoniaeth a'r byd meddygol ystyried dementia o ddifrif ac nid yn niwsans.

Beth yn hollol yw dementia a sut mae'n wahanol i glefyd Alzheimer? Syndrom yw dementia, hynny yw casgliad o arwyddion a symptomau sy'n gallu cael eu hachosi gan amrywiaeth eang o brosesau sydd wrth wraidd clefyd. Yn fras, mae'r arwyddion a'r symptomau'n namau niferus ar sut mae'r ymennydd yn gweithio. Mae'r rhain yn gallu cynnwys cof, iaith, sgiliau symud (motor) a chymdeithasol, barn a nifer o swyddogaethau eraill. Yn y mwyafrif o achosion, ond nid ym mhob un, mae'r dirywiad yn un graddol a chynyddol. Y clefyd mwyaf cyffredin sy'n achosi dementia yn y byd gorllewinol yw clefyd Alzheimer, ond mae nifer o achosion eraill – ymhell dros 50, mewn gwirionedd. Mae'r rhan fwyaf o'r rhain yn brin dros ben.

Yn ddiweddar mae gwella'r modd y caiff dementia ei reoli wedi cael llawer mwy o sylw, yn enwedig yr agweddau trugarog a moesegol ar ofal. Un arwydd bach o hyn yw rhoi'r gorau i ddefnyddio termau fel 'cyn-henaint' (*pre-senile*)' a 'henaint' (*senile*) a'u cysylltiadau negyddol, a defnyddio 'cynnar' a 'hwyr' (*early-* a *late-onset*) yn eu lle. Mae cymdeithas yn gyffredinol yn llawer llai goddefol o feddygon yn diystyru rhai sydd â dementia, er i brofiad y Beaumonts o'r niwrolegydd cyntaf a welodd Clive fod yn fwy nodweddiadol o'r hyn oedd yn digwydd pan oeddwn i'n fyfyriwr meddygaeth. Mae dyfodiad yr Alzheimer's Society wedi bod yn rym nerthol i newid agweddau ymhlith pobl gyffredin a phobl broffesiynol fel ei gilydd, ac mae achosion pobl adnabyddus, fel Iris Murdoch a Ronald Reagan, a David Parry-Jones yma yng Nghymru, wedi codi ymwybyddiaeth o ddementia.

Fodd bynnag, mae'r anawsterau arbennig sy'n dod yn sgil dementia cynnar, a diffyg gwasanaethau ar ei gyfer, yn broblem sy'n parhau heb ei datrys. Mae hanes Clive gan Helen Beaumont yn dangos hyn yn y modd mwyaf dwys a theimladwy. Heddiw, pan mae ymddygiad a chof person hŷn yn newid, mae pobl yn ymwybodol o'r posibilrwydd ei fod yn rhan o broses dementia. Ond mewn person iau, fel mae stori Clive yn ei ddangos, gall y cynnwrf a'r nam fod wedi hen ddatblygu ac yn amlwg i bawb cyn i neb sylweddoli mai salwch sydd wrth wraidd y cyfan. Rwyf wedi gweld hyn yn rhy aml o lawer yn fy mywyd proffesiynol.

Daw problemau arbennig yn sgil dementia i bobl ganol oed nad ydyn nhw fel arfer yn gysylltiedig â phobl hŷn: ymdopi â phlant ifanc yn yr un cartref; ymdopi â chyflogwr sy'n credu eich bod yn methu gwneud eich gwaith, ac nid yn sâl; ymdopi â cholli cyflog ar adeg pan nad oes digon o arian wedi'i gynilo; a llu o anawsterau eraill, ac mae Helen Beaumont yn disgrifio nifer ohonyn nhw yn y llyfr hwn.

I ni ar y tu allan sydd heb brofiad o ddementia, mae dim ond meddwl amdano yn ein dychryn, ac mae dychmygu'r posibilrwydd o'i gael yn ein digalonni'n fawr. O fy safbwynt i fel rhywun proffesiynol, ond ar y tu allan, serch hynny, mae'r profiad yn rhoi urddas i'r rheini sy'n benderfynol o'i wneud yn brofiad cadarnhaol, ac yn eu cyfoethogi. Er hynny, rwy'n prysuro i ddweud yn bendant nad wyf yn credu bod dioddef o reidrwydd yn rhoi urddas nac yn cyfoethogi. Ond pwy all amau, fodd bynnag, fod creu The Clive Project, gwasanaeth i rai sydd â dementia cynnar lle nad oedd gwasanaeth felly ar gael o'r blaen, wedi bod yn un o ganlyniadau mwyaf cadarnhaol yr hanes hwn. Rwy'n gwybod am un gwasanaeth arall o leiaf sydd gan y Gwasanaeth Iechyd Gwladol (GIG) mewn dinas fawr yn Lloegr a sefydlwyd ar batrwm The Clive Project ac a fodelwyd arno.

O ran Clive a Helen eu hunain, mae eu stori yn addysgu, yn sobri, weithiau'n ddoniol ac yn sicr yn deimladwy. Ar adegau roedd yn gwneud i fi wylltio gyda'n hymddygiad ni bobl broffesiynol, ond dysgais lawer ganddi ac rwy'n siŵr bydd eraill yn cael yr un profiad ag a gefais i wrth ddarllen y llyfr rhyfeddol hwn.

Robin Jacoby
Athro Emeritws Seiciatreg yr Henoed
Prifysgol Rhydychen

Pennod 1

Dechreuadau

Mae'n fore Sadwrn yn 1993. Rydyn ni i gyd yn yr ystafell fyw, a'r glaw yn curo yn erbyn y ffenest. Mae Clive yn eistedd ar y llawr yn pori drwy'r tudalennau swyddi yn y papur lleol; dwi'n eistedd ar y soffa gydag Alan ar fy nglin; mae Rachel yn chwarae'n dawel yn y gornel. Mae hyn yn un o nifer o ddefodau dwi wedi dod i'w casáu. Rydyn ni'n edrych drwy'r papur am swyddi all Clive gynnig amdanyn nhw. Dwi'n ddiamynedd, oherwydd fe ddylwn i fod yn gwneud y pentwr o dasgau sy'n disgwyl amdana i. Mae Clive yn ddi-waith, felly hyd y gwela i, does dim rheswm pam mae'n methu eu gwneud nhw ei hun yn lle'u gadael nhw i fi eu gwneud nhw yn fy amser rhydd gwerthfawr. Dwi hefyd yn ddiamynedd oherwydd dwi'n methu deall pam mae'n rhaid i ni edrych ar y papur gyda'n gilydd. Pam mae Clive yn methu gwneud hyn ei hunan? Beth bynnag, mae wedi dod yn arferiad, ac mae hi'n bwysig iawn i ni i gyd fod Clive yn cael swydd, felly dwi'n gwneud fy ngorau i guddio fy niffyg amynedd ac yn canolbwyntio ar y papur. Athro? Na – nid Clive. Does ganddo ddim cymwysterau (mae'n debyg nad yw gradd biocemeg o Rydychen yn cyfrif). Gyrrwr? Does ganddo ddim trwydded HGV na PSV. Mae Clive yn troi'r dudalen, ac mae'n dangos diddordeb a brwdfrydedd. Dwi'n pwyso dros ei ysgwydd i weld. Mae Coleg Christ Church yn chwilio am borthorion a dynion diogelwch. Mae hynny'n swnio'n dda i Clive. Dwi'n edrych ar y cyflog ac yn dweud mai dyna'n union faint fyddai'n rhaid i ni ei dalu i rywun i ofalu am y plant, a byddai pethau mewn gwirionedd yn waeth arnon ni petai'n cael y gwaith. Dwi'n gofyn yn chwerw pam fyddai uwch-gapten yn y Fyddin sydd newydd ymddeol, gyda gradd o Rydychen a phrofiad mewn difa bomiau a symud ffrwydron rhyfel a'u storio, yn dymuno cael gwaith yn dangos twristiaid o gwmpas Christ Church – does bosib ei fod yn fwy uchelgeisiol na hynny. Mae Clive yn edrych arna i yn hir ac yn anobeithiol cyn troi'r dudalen.

Dwi'n difaru hyd heddiw i fi adael i'r cyfle hwnnw lithro heibio. Dwi'n deall nawr, a minnau'n gwybod yr hyn dwi'n ei wybod nawr, pam roedd Clive heb esbonio – pam roedd yn methu esbonio – wrthyf i pam roedd mor awyddus i drio am waith fel porthor coleg. Doedd Clive erioed wedi bod yn un i esbonio ei hun i eraill; roedd yn credu'n gryf yn yr athroniaeth 'taw piau hi'. Roedd eisoes wedi dechrau cael problemau gydag iaith – symptom o'r salwch nad oedd neb yn gwybod eto ei fod ganddo. Fi oedd yr un huawdl, oedd yn gallu fy mynegi fy hun, yn dda gyda geiriau, yn dda am ddeall pethau; yr un oedd yn credu mewn rhoi trefn ar bethau, yr un nad oedd yn sâl. Y gwir amdani yw, erbyn hynny roeddwn i wedi blino ar geisio 'rhoi trefn ar bethau' gyda Clive. Fe fydden ni'n trafod pethau ac, mae'n debyg, yn gwneud penderfyniadau y byddai ef yn eu hanwybyddu'n ddiweddarach. Wnes i erioed feddwl fod ganddo salwch a oedd yn dinistrio'n araf ei allu i ddarllen, i siarad, i ddeall y byd o'i gwmpas. Yn araf iawn dros y misoedd a'r blynyddoedd nesaf y sylweddolais i hynny. Ond dwi'n dal i ddifaru colli'r cyfle hwnnw.

Felly ble dechreuodd y salwch hwn a gymerodd Clive oddi arnon ni cyn i ni sylweddoli bod unrhyw beth o'i le? Mae'n gwestiwn anodd, heb ateb clir iddo. Mae'n siŵr gen i mai ar ddiwedd yr 1980au ydi'r ateb. Roedden ni wedi dychwelyd o Dubai, lle roedden ni wedi bod yn byw am ychydig flynyddoedd. Am resymau cymhleth arhosais i yno yn hirach na Clive, ond fe ddaethon ni at ein gilydd eto erbyn mis Mai 1986. Roedd bod gyda'n gilydd unwaith eto yn deimlad gwych – fe brynon ni dŷ, ac fe ddechreuais i grwydro siopau DIY.

Roeddwn i'n mwynhau adnewyddu'r tŷ yn fawr. Roedd y bobl

oedd wedi'i werthu i ni yn smygu'n drwm, ac roedd angen ail-wneud y cyfan – ystafell ymolchi newydd, cegin newydd, carpedi a llenni newydd – roedd hyn yn hwyl fawr i fi, ond nid i Clive, ac roeddwn i'n trio meddwl am rywbeth y gallen ni ei wneud gyda'n gilydd. Ac fe ges i'r syniad – gwych yn fy marn i – y byddwn i'n dysgu hedfan.

Roedd Clive wedi dysgu hedfan yn fuan iawn ar ôl i ni briodi, gan dalu am y gwersi gydag arian roedd wedi'i etifeddu gan ei dad-cu. Wedi hynny, ble bynnag fydden ni'n mynd, byddai Clive yn chwilio am glwb hedfan lleol ac yn parhau i hedfan am ychydig oriau bob mis. Yn wir, roedd wedi bod ag awydd ymuno â'r awyrlu fel ei dad, ond doedd ei olwg ddim yn ddigon da i fod yn beilot. Roeddwn i'n meddwl y byddai'n beth da i fi ddysgu hedfan – gallai Clive fy helpu gyda'r theori, ac efallai y gallen ni brynu cyfran mewn awyren a mwynhau ein hunain yn hedfan ar y penwythnos. Ond doedd Clive ddim yn frwdfrydig am y syniad pan soniais wrtho amdano, ac ychydig wedyn fe ddywedodd ei fod wedi penderfynu rhoi'r gorau i hedfan. Fe ddywedodd nad oedd yn gallu fforddio talu i hedfan digon o oriau i fod yn ddiogel. Doedd Clive ddim am barhau i drafod y mater, felly fe dderbyniais i ei benderfyniad. A oedd hwn yn symptom cynnar o'i salwch, neu'n rhywbeth cwbl wahanol? Fe fyddwn i wedi hoffi mwy o gyfle i'w drafod eto, ond ar y pryd roedd pethau eraill ar ein meddyliau.

Roedd Clive wedi dechrau mynnu fwy a mwy ei fod am gael teulu. Roedd hyn yn rhywbeth arall nad oedden ni byth wedi'i drafod pan briodon ni – mae'n bosibl fod Clive wedi cymryd yn ganiataol y bydden ni'n cael teulu, ac roeddwn i wedi meddwl erioed nad oeddwn i'n un famol. Doeddwn i erioed wedi teimlo greddf mam yn gryf; pan roddodd fy chwaer yng nghyfraith falch ei merch newydd ei geni i fi i'w dal, roedd arna i ofn y byddwn yn brifo'r bwndel bach bregus. Roedd gen i swydd (wel, gan fod Clive yn symud yn aml, cyfres o swyddi) roeddwn i'n ei mwynhau, diddordebau a ffrindiau, a chynlluniau ar gyfer y dyfodol nad oeddwn am roi'r gorau iddyn nhw. Efallai ei bod hi'n iawn i Clive sôn am ddechrau teulu – doedd dim disgwyl iddo yntau roi'r gorau i'w waith i aros gartref a gofalu am y plant. Ac wrth gwrs, fi fyddai'n gorfod bod yn feichiog, ac roedd hyd yn oed y llyfr neu'r ffrind gyda'r bwriadau gorau'n gorfod cyfaddef bod geni babi yn waith caled. Felly bu'n rhaid i Clive ddadlau'n hir cyn i fi gytuno. Roedd ganddo'r gallu i fy mherswadio, ac roeddwn yn weddol sicr na fyddai'n fy ngadael ar fy mhen fy hun, felly fe gytunais. Ond ar un amod, sef y byddwn i'n aros gyda'r teulu yn ein cartref. Roeddwn i wedi mwynhau teithio'r byd gyda Clive, ond doeddwn i ddim yn credu y byddai pethau'r un peth pan fyddai gen i blant bach i ofalu amdanyn nhw. Yn y rhan fwyf o lefydd roedden ni wedi bod iddyn nhw, roeddwn i wedi treulio'r wythnosau cyntaf yn gyrru o gwmpas yn hollol ar goll, yn ceisio dod o hyd i siopau, y banc, y ganolfan chwaraeon, a hyd yn oed fy ffordd adref. Doeddwn i ddim yn meddwl y byddai hyn yn gymaint o antur gyda phlant yng nghefn y car.

Pan oeddwn i'n feichiog, fe drafodon ni ein gwyliau olaf ar ein pennau'n hunain, ac fe benderfynon ni feicio yn Ffrainc. Fe brynais i feic (roedd un gan Clive a byddai'n beicio'r 12 milltir i'w waith ac yn ôl), ac fe gawson ni daith neu ddwy hamddenol ar brynhawn Sul. Ar ôl un o'r rhain daeth Clive adref gyda thocynnau ar gyfer gwyliau yn Tenerife. Roedden nhw'n wyliau braf, ac fe dybiais i nad oedd fy syniad i o feicio hamddenol wedi bod at ei ddant, ac nad oedd am frifo fy nheimladau.

Ganwyd Rachel ym mis Mawrth 1988. Roedd Clive yn ei haddoli. Roedd hi'n gas ganddo fod oddi cartref yn fwy nag oedd rhaid, ac roedd yn gyrru adref un noson ar ôl ymarferiad yn aber afon Tafwys pan yrrodd y car i mewn i raniad y lonydd ar y draffordd. Diolch byth, roedd heb daro car arall, ac roedd hi'n dal i fod yn bosibl iddo yrru ei gar ef. Wnaeth Clive ddim môr a mynydd o'r peth – fyddai byth yn gwneud hynny – dim ond gyrru'r car adref, dweud wrth neb ond fi am y ddamwain, a mynd â'r car i gael ei drwsio. Roedd yn tybio'i fod wedi cysgu wrth yrru. Efallai'i fod. Efallai nad oedd gan y ddamwain ddim i'w wneud â'r hyn oedd i ddod. Ond dyma'i ddamwain gyntaf mewn 20 mlynedd.

Ychydig wythnosau wedyn, sylwodd fod ei galon yn curo'n afreolaidd. Doedd hyn ddim yn ei boeni, ond yn ôl ei arfer fe aeth i weld yn ei gylch. Cafodd Clive ei gyfeirio gan ein meddyg teulu at ysbyty Rhydychen, a roddodd dâp iddo i'w fonitro am 24 awr. Fe es i â'r tâp i'r ysbyty ac aeth Clive i ffwrdd eto gyda'r Fyddin.

Roedd hi'n ddydd Gwener. Bron yn syth ar ôl i fi gyrraedd adref o'r ysbyty, canodd y ffôn. Yr ysbyty oedd yno. A fyddai Clive yn gallu dod i mewn ar unwaith i gael archwiliad? Dywedais ei fod i ffwrdd ac fe gytunwyd y gallai fynd i mewn ddydd Llun, ar ôl iddo ddod adref. 'O', oedd yr ymateb, 'a pheidiwch â phoeni, does dim problem mewn gwirionedd ond efallai y byddai'n well iddo beidio â gyrru gormod cyn hynny'. Dychmygais Clive yn gyrru'n ôl i Rydychen o Ynys Wyth, a dywedais fod hynny'n iawn. Aeth fy nychymyg yn wyllt. Roedd Rachel yn bedwar mis oed. Roeddwn i'n teimlo'n arbennig o fregus ac yn hunandosturiol gyda salwch y bore – nad oedd eto wedi cael ei ddiagnosio – ac roedd Clive i ffwrdd. Roedd Clive heb ddweud wrth y Fyddin beth oedd yn digwydd – doeddwn i ddim yn hapus am hyn, ond roedd yn bendant. Daeth adref ddydd Sul, cymerodd ychydig ddyddiau o wyliau, ac aeth i'r ysbyty fore dydd Llun. Es i gydag ef. Dydw i ddim yn cofio pwy ofalodd am Rachel – mae'n bosibl ei bod hi wedi dod gyda ni gan ei bod hi'n dal i fod yn fach iawn ac yn hawdd ei chario, ond roedd hi hefyd yn adeg pan oedden ni'n gwneud pethau normal fel chwilio am rywun i warchod.

Ychydig oriau'n ddiweddarach, fe gawson ni wybod bod gan Clive glefyd sino-atrïaidd, sy'n broblem gyda rheoliadur naturiol y galon. Mae'n gyffredin mewn pobl hŷn, ond yn anghyffredin iawn mewn dyn canol oed sydd hefyd yn eithriadol o ffit. Fodd bynnag, roedd yr ymgynghorydd yn glir iawn. Dyma beth oedd o'i le ar Clive – doedd crychguriadau ei galon (*palpitations*) ddim ond yn ddechrau'r hyn a allai fod yn broblem ddifrifol iawn. Roedd yr ateb yn un eitha syml – rhoi rheoliadur y galon iddo – a'i unig bryder oedd pa fath o reoliadur fyddai orau. Gallai roi un modern a fyddai'n caniatáu i Clive barhau â'i fywyd egnïol – rhedeg marathonau, deifio sgwba, neidio allan o awyrennau... Byddai'n rhaid iddo fod yn ofalus pan fyddai'n mynd drwy offer diogelwch meysydd awyr, ond fel arall fe allai fyw bywyd cwbl normal. Felly cynigiodd wneud hynny.

A oedd y drafferth â'i galon yn gysylltiedig â'i salwch yn ddiweddarach? Dydw i ddim yn gwybod. Dydi meddygon ddim yn gwybod am unrhyw gysylltiad rhwng dementia a chlefyd sino-atrïaidd, ond i fi, mae'n rhyfedd iawn fod rhywbeth yn atal canolfan rheoli calon Clive rhag gweithio'n iawn ychydig flynyddoedd cyn iddo ddatblygu clefyd yr ymennydd – canolfan rheoli'r corff.

Roedd angen i Clive a minnau drafod hyn. Doeddwn i ddim yn hapus fy hun. A doeddwn i ddim yn meddwl y byddai'r Fyddin yn hapus i adael i Clive barhau yn ei swydd bresennol gyda phroblem ar ei galon, waeth pa mor ddiniwed yr oedd. Roedd Clive yn hoffi ei waith, ac roedd am ei gadw. Penderfynodd gael rheoliadur y galon ond heb ddweud wrth neb. Ac roeddwn i'n methu newid ei feddwl. Roedd arbenigwyr y galon yn gwybod beth oedd ei waith, ac roedden nhw'n hapus y byddai'n ddiogel iddo barhau â rheoliadur, ond nid yn ddiogel iddo barhau hebddo. Gosodwyd rheoliadur y galon. Roedd fy holl bryderon yn ddi-sail. Aeth bywyd yn ei flaen, yn gymharol hapus am gyfnod. Ganwyd Alan ym mis Mawrth 1989. Ar ôl ychydig fisoedd, fe ges i waith rhan-amser.

Roedd ychydig o anghydweld rhyngon ni, ond roeddwn i'n gallu fy argyhoeddi fy hun yn hawdd fod hyn yn normal. Ar ôl sawl mis, roedd Clive yn methu cofio enwau fy nghyd-weithwyr. Roedd yn aml yn anghofio fy mod wedi trefnu i fynd allan a'i fod wedi cytuno i warchod y plant. Roedd wedi bod yn ddarllenwr mawr erioed, a sylwais ei fod wedi rhoi'r gorau i ddarllen llyfrau. Ond wedyn, doeddwn i ddim yn darllen llawer o lyfrau fy hun yr adeg honno. Roedd Clive yn caru'r plant, ac roedd yn dad modern, yn rhannu'r gwaith. Roedden ni'n deulu hapus iawn bron drwy gydol yr amser.

Roeddwn i'n flin iawn gyda Clive pan benderfynodd fabwysiadu cath ffrind – roedd y ffrind wedi'i symud i'r Almaen a byddai mynd â'r gath gydag ef wedi bod yn gostus iawn. Fe fyddwn i wedi bod yn ddigon hapus i gael y gath ond gofynnodd Clive i fi pan oedd Alan ddim ond yn fis oed, ac roedd hi'n anodd i fi ymdopi â dau blentyn. Dywedais fy mod yn fodlon cael y gath, ond plis ddim tan y diwrnod cyn y byddai ei ffrind yn gadael am yr Almaen. Cytunodd Clive fod hynny'n ddigon rhesymol, ond yna'r noson honno daeth â'r gath adref mewn basged. Dim bwyd cath. Dim bocs baw. Dim ond y gath, a ollyngodd yn rhydd o'r fasged. Ac wedyn aeth allan am y noson. Doeddwn i ddim yn hapus.

Ychydig wythnosau wedyn roedden ni i fod i fynd ar ein gwyliau. Roeddwn i am fynd i ddeifio oddi ar Ynys Wyth; roedd Clive am fynd i weld ffrindiau ar Ynys Manaw. Yn lle penderfynu pa un oedd yn bosibl yn ystod ein deg diwrnod o wyliau, penderfynodd Clive y gallen ni wneud y ddau. Bydden ni'n gyrru 250 milltir i dŷ ei fam, gadael y plant yno cyn gyrru 100 milltir arall i Ynys Manaw, treulio tri diwrnod yno gyda'i ffrindiau, dychwelyd i nôl y plant, gyrru i Ynys Wyth a gwersylla yno fel y gallwn i fynd i ddeifio. Roeddwn i'n gwybod yn iawn pwy fyddai'n trefnu'r gwersylla, tocynnau'r fferi, y pacio a'r plant... Roeddwn i'n methu ei argyhoeddi bod y cynllun yn un anymarferol, ac roeddwn i'n rhy bengaled i roi'r gorau i'r deifio. Yn y diwedd fe wnes i esgus fod argyfwng yn y gwaith a oedd yn golygu 'mod i'n methu cael gwyliau o gwbl, ac fe arhoson ni gartref.

Fe gawson ni broblem arall gyda gwyliau adeg y Nadolig. Roeddwn i am ymweld â ffrindiau da yn Dubai, a chytunodd Clive, braidd yn gyndyn, i ddod hefyd. Bwciais y tocynnau a dechrau paratoi. Roedden ni i fod i hedfan o Gatwick a pharcio yn y maes awyr. Fel arfer roedd hi'n ddwy awr o daith, felly roeddwn i'n meddwl bod gadael tair awr cyn bod angen i ni fod yno yn hen ddigon o amser. Roedd Clive yn anghytuno, ond ni ddywedodd yr un gair wrthyf i tan hanner awr cyn yr amser roedd ef am adael, pan ddechreuodd gynhyrfu oherwydd ein bod ni'n hwyr. Roedd cael popeth yn barod yn anodd, gan ein bod yn teithio gyda dau o blant ac roeddwn i am adael y tŷ mewn rhyw fath o drefn. Aeth pethau o ddrwg i waeth ac fe aeth Clive i eistedd yn y car, yn canu'r corn ac yn refio'r peiriant nawr ac yn y man. Mae hon yn stori y bydd nifer o rieni yn gyfarwydd â hi, a dydw i ddim ond yn ei nodi oherwydd ei bod hi'n dangos ochr o gymeriad Clive doeddwn i erioed wedi'i gweld yn yr 20 mlynedd roeddwn i wedi'i adnabod. Roedd y Fyddin wedi dewis Clive i'w hyfforddi i ddifa bomiau. Dydyn nhw ddim yn dewis dynion sy'n cynhyrfu'n hawdd neu'n wyllt eu tymer. Roedd Clive wedi bod yn un digyffro erioed – byth yn gwylltio, a dweud y gwir. Llwyddais i gael trefn arni cyn gynted â phosibl a chychwyn am y maes awyr. Yn wahanol iawn i'r arfer, fi oedd yn gyrru, ac wrth i fi yrru ar hyd yr M25, mynnodd Clive fy mod yn stopio'r car yn y fan a'r lle, oherwydd roedd am fynd allan o'r car – roedd wedi penderfynu nad oedd am ddod. Nid oedd am i fi ei yrru i'r dref agosaf, na hyd yn oed gadael y draffordd; roedd am i fi ei adael ar y llain galed. Fe lwyddais i'w berswadio i ddod gyda ni ac fe gyrhaeddon ni'r maes awyr, a Dubai yn y pen draw, lle dywedodd Clive fod y ffliw arno, ac aeth i'w wely am ychydig ddyddiau. Yn sicr nid oedd yn iawn – dyma ddyn nad oedd byth yn cael annwyd na ffliw.

Ar ôl cyrraedd adref, tawelodd pethau unwaith eto am rai misoedd, ac roedd popeth yn reit dda ar y cyfan nes i Clive ddod adref o'r gwaith un diwrnod a dweud bod ganddo 'gynnig i fi'. Beth petaen ni i gyd yn symud i Salisbury?

Roedd hi'n bryd iddo symud (mae'r Fyddin yn symud ei phobl o gwmpas yn weddol reolaidd), ac roedd wedi gwrthsefyll yn gadarn bob ymgais i'w symud i waith mewn swyddfa yn Llundain. Doedd Clive erioed wedi bod yn un i weithio mewn swyddfa os gallai osgoi hynny. Roedd hefyd yn dechrau digalonni am beidio â chael dyrchafiad, ac roeddwn i'n methu ei argyhoeddi efallai fod cysylltiad rhwng y ddau beth. Efallai fod swydd ar gael yn agos i Salisbury. Roedd hi'n swydd roedd Clive yn gymwys iawn i'w gwneud, ac efallai y byddai'n arwain at ddyrchafiad petai'n ei gwneud yn dda, ond... roedd y swydd yn Salisbury a oedd yn rhy bell i deithio yno bob dydd. Roedd am gael ei deulu gydag ef; roedd tŷ ar gael yno; fyddwn i'n barod i symud?

Roedd hyn yn torri ein cytundeb pan ddechreuon ni gael teulu; y bydden ni'n prynu tŷ ac yn aros yno. Doedd y syniad o symud bob rhyw ddwy flynedd a llusgo'r plant ar ein holau ddim yn apelio ata i. Roedd hi'n iawn pan oedd hi'n ddim ond ni'n dau, ond roedd hyn yn wahanol. Ond eto, roedd wirioneddol eisiau'r swydd ar Clive a doedd y plant ddim eto wedi dechrau mewn cylch chwarae, felly fyddai'r symud ddim yn tarfu gormod arnyn nhw. Byddai'n golygu colli fy swydd ond roeddwn bob amser wedi llwyddo i gael rhywbeth. Felly ar y cyfan, doedd gen i ddim rheswm digonol dros wrthod. Ond mae cywilydd arna i ddweud bod y cyfan wedi fy ngadael mewn tymer ddrwg am amser hir. Fe ddylwn i fod wedi gwrthod, neu wedi cytuno'n llwyr i fynd. Ond allwn i ddim.

Felly fe symudon ni. Roedd tanc olew system gwres canolog ein cartref newydd wedi gollwng ac roedd yr olew wedi treiddio i mewn i'r llawr carreg galch o dan y gegin. Tyllodd y Fyddin yn ddyfnach ac yn ddyfnach i geisio cael gwared â'r drewdod ofnadwy a oedd yn achosi llid y sinws parhaol arna i. Oherwydd y gwaith hwn, doedden ni ddim yn gallu cael ymwelwyr, ac roedden ni wedi symud ar ddiwedd mis Gorffennaf pan oedd holl weithgareddau'r cylch mam a'i phlentyn a'r cylch meithrin roeddwn i'n gyfarwydd â nhw wedi cau am yr haf. Roedd hi'n anodd i fi wneud ffrindiau newydd; roedd Clive yn gweithio'n galed iawn ac i goroni'r cyfan roeddwn i wedi methu dod o hyd i waith. Roeddwn i'n teimlo'n ddiflas iawn ac yn bigog iawn. Gorffennaf 1990 oedd hyn, ychydig wythnosau cyn i Saddam Hussein ymosod ar Kuwait.

Cynyddodd pwysau gwaith Clive ac roedd ei wir angen ar y Fyddin. Fe ddylai fod yn teimlo'n hollol fodlon a hapus. Ond doedd e ddim. Roedd ei waith yn gyfrinachol a fyddai Clive ddim yn siarad amdano, ond roedd hi'n amlwg ei fod yn teimlo'n rhwystredig ac yn anghytuno â'i bennaeth. Ym mis Chwefror 1991, fe aeth pethau i'r pen.

Roedd Clive yn gorfod mynd i gael ei archwiliad meddygol arferol gan y Fyddin – y cyntaf ers iddo gael rheoliadur y galon. Unwaith eto, fe geisiais ei berswadio i ddweud wrthyn nhw am y rheoliadur cyn yr archwiliad, ond fe fethais. Roedd Clive yn meddwl y byddai'n jôc fawr mynd i'r archwiliad a gadael i'r meddyg ddod o hyd i'r rheoliadur. Ond doedd y meddyg ddim yn cytuno. A doedd pennaeth Clive ddim yn gweld y jôc chwaith. Cafodd ei wahardd ar gyflog llawn ar unwaith.

Y stori ges i gan Clive oedd fod ei bennaeth wedi bod yn anfodlon â'i waith ers peth amser, ac wedi penderfynu mai'r rheoliadur a'r broblem â'i galon oedd wrth wraidd ei holl drafferthion. Mae'n debyg bod gwaith Clive wedi bod yn sâl ac yn annigonol ers peth amser, bod nifer o eiriau wedi'u camsillafu yn ei adroddiadau, a'i fod wedi cael sawl rhybudd llafar ac un rhybudd ysgrifenedig. Ni ofynnodd neb pam ddylai problem â'r galon achosi problemau ysgrifennu. Roedd Clive hefyd wedi cael ei gyhuddo o fod yn ystyfnig ac yn anodd ei reoli. Er gwaethaf hyn, mewn arolwg meddygol arall, daeth Clive i lawr un radd feddygol ar sail rheoliadur y galon, ond wnaeth neb chwilio am reswm meddygol dros ei drafferthion yn ei waith. Ac, wrth gwrs, roedd ganddo farc du mawr ar ei gofnod nawr. Dros y 18 mis nesaf, wnaeth neb a ddaeth ar draws ei agwedd ystyfnig, anghydweithredol a thawedog unrhyw ymdrech i ymchwilio ymhellach i'r mater.

Roedden ni wedi mynd fel teulu am ginio cyrri yn ffreutur y gwersyll. Roedd y lle'n weddol lawn a'r seddau'n brin. Dyma ni'n llenwi ein platiau ac yn chwilio am le i eistedd. Roedd digon o le wrth un bwrdd ond roedd y Cyrnol heb gael ei fwyd eto ac roedd hi'n amlwg fod y lle gwag hwnnw yn cael ei gadw iddo ef a'i wraig. Suddodd fy nghalon pan aeth Clive tuag at y bwrdd. Fe driais i esbonio'r sefyllfa wrtho ond doedd dim symud arno. 'Mae gen i gymaint o hawl i eistedd yno ag sy ganddo fe,' dywedodd yn uchel, ac eisteddodd. Roedd yn cario bwyd y plant, felly doedd gen i ddim dewis ond ei ddilyn. Ychydig funudau'n ddiweddarach daeth y Cyrnol aton ni, yn anfodlon iawn. 'Rwyt ti'n eistedd yn fy lle i,' hisiodd yn fileinig. Gwrthododd Clive symud a bu'n rhaid i eraill, callach, godi a gwneud lle i'r Cyrnol a'i wraig. Wnaeth hyn ddim byd i wella ein perthynas â'r bobl o'n cwmpas.

Anfonwyd Clive am archwiliad meddygol arall a llwyddodd i argyhoeddi'r meddygon ei fod yn ffit iawn, a chafodd radd A2 neu'r radd gyfatebol mae'r Fyddin yn ei defnyddio. Dydw i ddim yn gwybod a oedd unrhyw un wedi archwilio'r cysylltiad honedig rhwng safon ei waith a'r cyffuriau roedd yn eu cymryd at ei galon. Beth bynnag, chlywais i ddim am unrhyw awgrym nad oedd hyn yn ddim byd mwy na gwrthdaro personoliaeth rhwng y Cyrnol a Clive.

Unwaith roedd ei statws meddygol wedi'i ddatrys, buan y daeth y Fyddin o hyd i waith arall i Clive ychydig filltiroedd i ffwrdd. Disgrifiad diflas Clive o'r gwaith oedd 'jobyn stacio blancedi'. Ar ôl ychydig fisoedd, roedden ni'n symud unwaith eto yn ôl i Rydychen ac i dŷ arall o eiddo'r Fyddin. Roedd y swydd hon yn un fwy cyfrifol, gyda phobl roedd Clive wedi gweithio gyda nhw o'r blaen, ac roedd golwg hapusach arno. Ces fy synnu pan ddaeth adref a dweud ei fod am drafod ymddiswyddo. Roedd y Fyddin yn lleihau ei niferoedd ac yn cynnig sawl pecyn atyniadol iawn. Doeddwn i ddim am daflu dŵr oer ar y cynllun ond roedd hyn yn achosi pryder mawr i fi. Efallai nad oedd Clive wedi bod yn arbennig o hapus yn ei waith, ond roedd hi'n swydd barhaol gyda chyflog da, ac roedd dau o blant gennyn ni. Gofynnais yn betrusgar a oedd wedi meddwl am swyddi eraill. Roedd Clive wedi meddwl yn ofalus amdano. Byddai'n cael swydd athro – roedd ganddo radd mewn biocemeg, ac fe allai ddysgu cemeg. Fe ddechreuon ni brynu'r *Times Literary Supplement* a chwilio am swyddi tebygol. Fe drafodon ni symud yn ôl i Swydd Efrog, gan fod y ddau ohonon ni'n dod oddi yno ac roedd gennyn ni deulu yno o hyd. Gwnaeth Clive gais am ymddiswyddiad a chafodd ei dderbyn. Roedd i fod i adael y Fyddin yn derfynol ym mis Medi 1992. Pryd bynnag fyddwn i'n sôn am arian, byddai'n chwerthin arna i. Wrth gwrs y byddai'n cael swydd; roedd hi'n fater o ddisgwyl am y cynnig iawn. Doeddwn i ddim am ei atgoffa nad oedd wedi cael yr un cynnig hyd yn hyn.

Dydw i ddim yn cofio iddo gynnig am unrhyw swydd ddysgu mewn gwirionedd. Canslodd y tanysgrifiad i'r *Times Literary Supplement*. Pan ofynnais i am hyn, dywedodd nad oedd yn gallu dysgu heb dystysgrif dysgu a'i fod yn rhy hen i fynd yn ôl i'r coleg. Unwaith eto cefais fy synnu. Doedd hi ddim fel Clive i wrthod y fath her, a doedd e ddim ond yn 45 mlwydd oedd – yn dal i fod yn ddigon ifanc i gael gyrfa arall. Ond roeddwn i'n methu ei berswadio, a dechreuodd sôn am fod yn athro dysgu Saesneg fel iaith dramor (TEFL), wedyn am fod yn ymgynghorydd diogelwch. Fe drefnodd gwrs TEFL, hyd yn oed, ond llwyddodd i'w drefnu ar yr union adeg pan oeddwn i eisoes wedi trefnu ac wedi talu am wyliau deifio i fi fy hun. Mae hyn yn dangos mor ddwfn roedd y rhwyg wedi datblygu rhyngon ni, gan na wnes i hyd yn oed ystyried ad-drefnu fy ngwyliau. A dydw i ddim yn credu ei fod wedi ad-drefnu ei gwrs – yn sicr aeth e ddim ar y cwrs. Yn y cyfamser roeddwn i wedi cael swydd ran-amser yn Rhydychen.

Cyrhaeddodd Clive restr fer swydd bwysig gyda chwmni diogelwch, ac roedd yn rhaid iddo roi cyflwyniad yn y cyfweliad. Ymdrech ar y cyd oedd y cyflwyniad – penderfynodd Clive yr hyn roedd am ei ddweud, a fi wnaeth y lluniau ar y cyfrifiadur. Ni chafodd y swydd. Roedd mewn ychydig o benbleth oherwydd bod un o'r rhai oedd yn ei gyfweld wedi gofyn iddo a oedd yn ddyslecsig. Hwn oedd y gwir awgrym cyntaf gan rywun o'r tu allan ei fod yn cael problem gyda geiriau – pam nad aethon ni ar ôl hyn?

Ar ôl y gwrthodiad hwnnw, awgrymodd Clive y dylwn i weithio'n llawn amser ac y byddai yntau'n aros gartref fel gŵr tŷ. Nid dyna'r hyn oedd gen i mewn golwg pan ddechreuon ni gael teulu, ond fe allwn i weld ei bwynt, ac yn sicr byddai'n dda cael un cyflog parhaol. Felly fe ychwanegais i at nifer fy oriau gwaith ond roedd Clive yn methu dygymod â bod yn ŵr tŷ.

Cam cyntaf Clive oedd gwella ei sgiliau coginio a gofynnodd i fi ddysgu iddo sut i wneud rhai o'r prydau roedden ni fel teulu yn eu mwynhau. Roeddwn i'n credu mai'r un hawsaf fyddai pasta, cig moch a chaws, ac esboniais y rysáit yn ofalus wrtho. Roedd hi'n anodd iddo ddeall rhai o'r cyfarwyddiadau, ac roedd ei syniad ef o 'ddarnau o gig moch, modfedd o hyd' ymhell ohoni... Ond roedd fel petai'n ymdopi a gadewais lonydd iddo, ddim ond i ddychwelyd i'r gegin ychydig wedyn oherwydd arogl plastig yn llosgi. Roedd Clive wedi defnyddio sbatwla blastig yr oedd i fod i'w defnyddio wrth wneud teisen, yn hytrach na sbatwla pwrpasol i ffrio. Roedd yn coginio'r cig moch yn y badell ffrio gyda theclyn a oedd yn toddi yn ei law, ac yn gorchuddio'r badell a'r bacwn â phlastig yn llosgi. Roedd Clive heb sylwi ar hyn, ac edrychai wedi'i frifo pan fynnais i daflu'r cyfan a dechrau o'r dechrau. Doedd ei ymdrechion eraill yn fawr gwell chwaith, ac felly bu'n rhaid i ni gytuno i gael prydau parod ar yr adegau pan ddeuai tro Clive i goginio – roedd hyn yn ddrutach o lawer ond o leiaf roedden ni'n bwyta.

Yr ail gam oedd bod yn gyfrifol am ofalu am y plant. Un diwrnod, wrth i fi gyrraedd adref o'r gwaith, roedd plismon yn sefyll wrth y drws yn dal llaw Alan, ein mab teirblwydd oed. Roedd Clive wedi mynd â'n dau blentyn i'r parc ac roedd Alan wedi crwydro – gallai symud fel milgi pan fyddai'n cael cyfle. Ddeallais i mo'r stori'n iawn, dim ond bod rhywun wedi dod o hyd i Alan yn crwydro o gwmpas ei ysgol feithrin, a oedd ar ochr arall ffordd reit brysur. Roeddwn i'n poeni am y peth ond chwerthin am ben y cyfan wnaeth Clive. Gan nad oedd dim byd difrifol wedi digwydd roedd y cyfan yn hollol ddibwys, ac fe fyddai'n fwy gofalus yn y dyfodol. Roeddwn i'n parhau i boeni, ond doeddwn i ddim am roi'r gorau i fy ngwaith – ar ôl bod yn ddi-waith am ddwy flynedd roeddwn yn ei fwynhau, ac roedd hi'n edrych yn fwyfwy tebygol mai fy nghyflog i fyddai ein hunig incwm cyn bo hir.

Y trydydd cam oedd i Clive fod yn gyfrifol am olchi dillad, ond doedd e ddim yn deall bod rhaid golchi dillad gwahaol ar dymheredd gwahanol – fe fyddai popeth yn cael ei olchi mewn dŵr poeth. Fe ddysgais yn fuan i beidio â rhoi fy nillad gwaith yn y fasged ddillad – byddwn yn eu golchi â llaw pan oedd Clive allan o'r tŷ – wrth i bopeth arall droi yn lliw pinc golau. Gan ’mod i’n methu dioddef dillad gwlyb o gwmpas y tŷ drwy’r amser, roedden ni newydd brynu peiriant sychu. Gan ein bod yn rhentu’r tŷ, roedden ni’n methu ei osod yn iawn, felly bob tro bydden ni’n ei ddefnyddio, roedd yn rhaid rhoi’r biben stêm allan drwy’r ffenest. Ond fyddai Clive byth yn cofio gwneud hyn, felly pan fyddai’n defnyddio’r peiriant sychu, byddai’r tŷ i gyd yn llawn stêm.

Pan fyddai’n glanhau’r tŷ, doedd mynd o gwmpas y dodrefn gyda’r sugnwr llwch a thynnu’r llwch o’r mannau amlwg ddim yn ddigon iddo. Roedd disgyblaeth y Fyddin wedi’i wneud yn gydwybodol iawn ac yn anodd ei blesio. Byddai’n glanhau’r tŷ yn llwyr bob tro. Byddai’n symud pob dodrefnyn ac os oedd hi’n bosibl, yn golchi pob addurn. Ar y dechrau byddai bron pob peth yn cael ei roi yn ôl yn ei le iawn, ond wrth i’w gof ddirywio byddai’n llai tebygol o wneud hynny. Erbyn y diwedd byddai’n gadael y dodrefn i gyd yn un pen o’r ystafell, oherwydd byddai Clive yn symud y dodrefn i gyd i naill ochr yr ystafell, ac yn defnyddio’r sugnwr llwch yn y pen arall. Wedyn byddai’n symud y dodrefn i’r ochr arall, yn defnyddio’r sugnwr llwch yn yr ail ran, ac yna’n ei roi’n ôl yn y cwpwrdd. Byddai cyrraedd adref o’r gwaith a gorfod symud popeth cyn ein bod ni’n gallu cael te yn gwneud i fi deimlo’n rhwystredig iawn, ond o leiaf roedd y tŷ yn lân.

O dipyn i beth, fe wnes i ailafael yn yr holl waith tŷ, ond fe wnes i barhau i weithio’r un nifer o oriau yn y gwaith. Wedi’r cyfan, cyn bo hir fe fydden ni’n dibynnu ar gyflog un swydd ran-amser.

Daeth mis Medi ac fe aeth heb unrhyw sôn am waith i Clive, ac fe symudon ni allan o dŷ’r Fyddin ac yn ôl i’n tŷ ni ein hunain, a oedd o fewn cyrraedd i Rydychen, diolch byth. Cynyddais fy oriau gwaith a dechreuodd Clive sôn eto am fod yn ŵr tŷ – y broblem fawr gyda hynny oedd nad oedd byth yn gallu cofio dim y byddwn yn gofyn iddo’i wneud. Roedd yn hoff iawn o fynd ar ei feic a dyna sut yr âi i bobman, ond roedd yn mynnu prynu wyau a’u cario mewn rycsac ar ei gefn – prin oedd yr adegau pan fydden nhw’n cyrraedd adref yn gyfan. Byddwn yn golchi’r rycsac ac roedd fel petai Clive heb sylwi. Ar gyfer ei phen-blwydd yn bump oed, dewisodd Rachel deisen o siop leol. Roeddwn wedi hen ddysgu nad oedd rhoi eisin ar deisen yn un o fy sgiliau. Dewisodd Rachel deisen sbwng oedd yn edrych fel merch mewn crinolin, a chynigiodd Clive ei nôl. Gan fy mod i'n brysur yn paratoi ar gyfer y parti, derbyniais ei gynnig heb feddwl amdano. Daeth y deisen adref yn y rycsac yn edrych yn druenus iawn. Fe wnes i 'ngorau i'w rhoi'n ôl at ei gilydd, ond roedd hi'n edrych yn hollol wahanol i'r deisen oedd yn y siop. Yn ffodus, fe aeth gweddill y parti'n iawn, gan lwyddo i osgoi gormod o ddagrau.

Roedd Clive yn parhau i wneud ceisiadau am swyddi, ond roedd yn rhaid i fi ei helpu i lenwi'r ffurflenni. Weithiau byddai'n cael cyfweliad, ond byth y swydd.

Rhoddodd Clive sgwrs i'r Clwb Rotari roedd fy mrawd yn aelod ohono. Dywedodd fy mrawd fod y sgwrs wedi mynd yn iawn, ond roedd hi'n drueni bod cymaint o wallau sillafu ar y sleidiau roedd wedi eu dangos. Roeddwn i'n methu deall hynny. Roedd Clive wedi rhoi set Scrabble deithiol i fi yn anrheg priodas, ac roedden ni wedi chwarae sawl gêm dros y blynyddoedd. Byddai'r ffaith bod Clive yn ennill bron pob gêm yn dân ar fy nghroen – felly sut allai wneud gwallau sillafu elfennol? Roedden ni'n gwylio ffilm Ffrangeg gydag isdeitlau ar y teledu ac roedd Clive yn mynd ar fy nerfau i yn gofyn byth a beunydd am gyfieithiad. Unwaith eto, roeddwn i'n methu credu'r peth. Roedd ei Ffrangeg ef yn well o lawer na fy Ffrangeg i, a beth bynnag, roedd isdeitlau ar y sgrin. Dywedodd ei fod yn methu eu darllen gan nad oedd e'n gwisgo'i lensys cyffwrdd, a derbyniais ei esboniad. Pan fyddwn i'n darllen stori amser gwely i'r plant, byddai Clive yn gadael yr ystafell ar ryw esgus fel na fyddai'n rhaid iddo ddarllen iddyn nhw. Allwn i ddim deall hyn o gwbl ac roedd yn fy ypsetio'n fawr, ond wnaeth e erioed groesi fy meddwl ei fod yn methu darllen yn hawdd erbyn hynny.

Nid dim ond geiriau a sillafu oedd yn anodd. Ar ôl i ni sylweddoli bod ei sillafu'n anwadal, dechreuodd ddod â'i holl lythyron i fi fwrw golwg drostyn nhw. Roedd Clive wedi arfer gwneud holl waith papur a chyfrifon y tŷ – nid oedd yn gallu ymddiried ynof i gan fy mod i'n gadael y cyfan tan y funud olaf. Un diwrnod daeth â siec i'w dangos i fi roedd wedi'i hysgrifennu i dalu bil. Roedd y bil am gant a dwy o bunnoedd; roedd Clive wedi llenwi'r siec am fil a dwy o bunnoedd. Roedd yn methu deall pam roeddwn i'n mynnu ei fod yn ysgrifennu siec arall. Roedd y siec yn berffaith iawn ac os oedden ni'n talu mwy na'r ddyled y tro hwn, yna fe fydden ni mewn credyd am rai misoedd. Roedd fel petai'n methu deall y byddai'r banc yn gwrthod y siec, a phetai'n cael ei derbyn, y byddai ein cyfrif banc yn wag. Roedd yn methu deall y gallen ni fod heb arian o gwbl – hyn gan ddyn o Swydd Efrog a oedd wedi bod yn ofalus o'i arian erioed. Meddyliais eto ei fod yn gwneud hwyl am fy mhen am boeni gormod, ac fe benderfynais boeni llai yn y dyfodol, ond cadw llygaid barcud ar ein harian.

Ar ôl symud yn ôl i'n hen dŷ, roedd yn rhaid i ni brynu rhai pethau bach i'r tŷ, a phenderfynais yr hoffwn i gael basgedi sbwriel gwiail. Roeddwn wedi gweld rhai mewn siop yn Abingdon a gofynnais i Clive brynu dwy i fi pan fyddai'n mynd i siopa. Rhoddais ddisgrifiad manwl ohonyn nhw iddo, gan ddweud pa siop oedd yn eu gwerthu, a hyd yn oed ym mhle yn y siop yr oedden nhw. Nodiodd Clive i ddangos ei fod yn deall, ond pan gyrhaeddodd adref roedd wedi prynu dau fwced plastig yn Woolworths. Mae'n siŵr fy mod i wedi colli dagrau mewn rhwystredigaeth ond doedd hi ddim yn edifar ganddo. Roeddwn i wedi gofyn am ddwy fasged sbwriel ac roedd Clive wedi dod â dau beth i ddal sbwriel, ac yn fwy na hynny roedden nhw'n dal dŵr hefyd. Meddyliais ei fod yn ceisio fy nghadw i rhag cael syniadau rhy fawreddog am y tŷ, ac fe ddefnyddion ni'r bwcedi am sawl blwyddyn. Efallai nad oedden nhw'n edrych yn union fel roeddwn i wedi'i obeithio, ond yn sicr roedden nhw'n gwneud y gwaith yn iawn. Yn ddiweddarach fe ges i lond bol o'r bwcedi, yn enwedig gan fod pob meddyg roedd Clive yn ei weld yn meddwl eu bod nhw'n ddiddorol iawn, ac yn dangos y trafferthion roedd yn eu cael gydag iaith. Mae'n bosibl bod hyn yn iawn, gan fod ei sgiliau ieithyddol yn sicr yn dirywio, ond dwi hefyd yn meddwl efallai nad oedd yn hoffi fy mod i'n gofyn iddo fynd ar neges.

Cyn y Nadolig roedd y papurau dyddiol yn rhoi tocynnau teithio arbennig ar gyfer fferi ar draws y Sianel, i gael diwrnod yn Ffrainc a phrynu gwin a chwrw rhad. Roedd Clive yn hoffi'r syniad yn fawr, ond yn lle casglu'r tocynnau a thrafod y peth gyda fi, fe aeth at drefnwr teithio lleol a phrynu tocyn pris llawn. Yna fe yrrodd i Ffrainc a phrynu llwyth o win a chwrw rhad roedd yn rhaid i fi chwilio am rywle i'w cadw. Roedd hyn i gyd yn rhyfedd iawn i fi, yn enwedig gan fod Clive yn bragu ei gwrw ei hun, a'i bod yn well ganddo beint o chwerw o Loegr na lager o'r cyfandir. O leiaf llwyddodd y car i wneud y daith i Calais ac yn ôl – tua'r amser yma roedd pob car a fu gennyn ni erioed yn drafferthus. Doedden nhw ddim yn hŷn nac yn iau nag unrhyw gar fu gyda ni ar adegau eraill, ond eto byddai pob un yn gwrthod gweithio ar yr adegau mwyaf anghyfleus a chostus. Mae'n rhaid bod y ffordd roedd Clive yn gyrru wedi dirywio ac yn effeithio'n wael ar y peiriant a'r gerbocs. Dyma hefyd pryd y dechreuais i yrru pan fyddai'r teulu'n teithio gyda'i gilydd. Wnaethon ni ddim trafod hynny, a dydw i ddim yn cofio sut y digwyddodd hynny, a dweud y gwir.

Roedd Clive yn parhau i chwilio yn ddygn am waith, ac fe aeth i gofrestru yn y ganolfan waith leol. Does gen i ddim syniad sut roedd e'n cyd-dynnu â nhw. Fe ddylai fod ganddo hawl i ychydig o fudd-dal diweithdra, ond fe fynnodd gymryd gwaith roedd cyn-gyd-weithiwr iddo wedi'i gynnig iddo – ychydig o oriau ddwywaith neu dair y mis yn Llundain. Doedd y cyflog byth yn talu ei gostau teithio i Lundain ac yn ôl, ac wrth gwrs, byddai'n dadgofrestru o'i fudd-dal bob tro y byddai'n gweithio. Felly chawson ni ddim o'r hyn y dylai fod wedi'i gael. Roedd yr arian diswyddo a gafodd gan y Fyddin yn diflannu'n gyflym iawn ond byddai Clive yn gweiddi arna i bob tro y byddwn yn sôn am hynny. Byddai'n cael gwaith, roedd e'n siŵr o hynny. Ffoniodd fi yn y gwaith un diwrnod i ddweud ei fod wedi cael cynnig gwaith – pan gyrhaeddais i adref a darllen y llythyr, fe welais mai ffurflen gais roedd wedi'i chael. Byddai Clive yn edrych yn gadarnhaol iawn ar bopeth – roedd ganddo eglurhad rhesymol bob amser, ac erbyn hyn roeddwn i'n rhy brysur i edrych yn fanwl ar bopeth. Doedd dim pwynt ceisio cynnal sgwrs â Clive. Beth bynnag fydden ni'n ei benderfynu, byddai'n ei anwybyddu ac yn gwneud beth bynnag a fynnai. Felly byddwn yn gadael iddo gael ei ffordd a chanolbwyntio ar ofalu am weddill y teulu. Byddai'n prynu'r papur lleol bob dydd Gwener ac fe fydden ni'n ei agor ar y llawr ac yn chwilio am swyddi posibl. Byddwn yn ei helpu i lenwi'r ffurflen gais, ac er y byddai'n cael ambell gyfweliad, ni chafodd waith.

O'r diwedd, cynigodd cwmni o Swydd Efrog waith iddo fel ymgynghorydd diogelwch. Roedd y gwaith yn agos iawn at dŷ ei fam, felly trefnodd i fynd i aros gyda hi a rhoi cynnig ar y gwaith.

Os byddai popeth yn mynd yn iawn, fe fydden ni'n chwilio am dŷ yn yr ardal. Bu yn y swydd am dri diwrnod cyn cael ei anfon adref ar frys. Ddywedodd y cwmni byth wrtho pam nad oedd ei waith yn foddhaol; roedd y cyfan yn 'ormod o embaras'. Chafodd e mo'i dalu chwaith. Yn anffodus, fe ddygodd rhywun ei feic tra oedd e yno.

Ar ôl cael ei ddiswyddo o'r Fyddin, ymunodd Clive â'r Fyddin Diriogaethol a byddai'n mynd ar benwythnosau hyfforddi gyda nhw, tua unwaith y mis. Chlywais i ddim sut roedd pethau wedi mynd gyda'r ymarferion, nes iddyn nhw gael ymarferiad am bythefnos ar yr arfordir. Anfonwyd Clive adref yn gynnar, gyda llythyr i fi (hwn oedd y tro cyntaf i'r Fyddin gysylltu â fi) oedd yn esbonio ei fod yn dod yn 'gyff gwawd'. Wnes i ddim astudio'r llythyr yn fanwl, a dyna pam na alla i ei ailadrodd yma nawr – gan iddo fynd i'r bin sbwriel. Rhwygais i'r llythyr yn ddarnau bach maint stamp, a phan oeddwn i'n methu ei rwygo'n ddarnau llai, dechreuais ei dorri â siswrn. Ychydig ddyddiau wedyn fe ges i (fi, nid Clive) alwad ffôn yn gofyn beth oedd yn digwydd, ac ychydig ddyddiau wedi hynny cyrhaeddodd llythyr gan y Fyddin Diriogaethol yn terfynu gwasanaeth Clive ar ôl 23 blynedd yn y Fyddin. Chawson ni ddim cyngor am sut fyddai hyn yn effeithio ar ei bensiwn.

Wedi hyn cyfaddefodd Clive ei fod yn cael problemau gyda darllen ac ysgrifennu, a gofynnodd i fi fynd gydag ef i'w ymweliadau yn yr ysbyty. Roedd ei stori yn un ddryslyd iawn – fel popeth arall yr adeg honno. Dywedodd ei fod wedi gweld un arbenigwr, oedd yn methu cael hyd i ddim byd o'i le arno ac oedd wedi'i gyfeirio at niwrolegydd. Roedd y cyfan yn gymhleth iawn, a dwi'n methu cael y stori'n llawn o nodiadau Clive o'r ysbyty, gan eu bod nhw wedi diflannu'n llwyr.

Aeth y ddau ohonon ni i ymgynghoriad â'r niwrolegydd. Trafodwyd hanes Clive a'r basgedi sbwriel am gryn amser, a'i deithiau i brynu wyau. Cyfeiriwyd Clive i gael cyfres o brofiadau niwroseicolegol – a oedd, hyd y gwelwn i, yn bennaf yn brofion papur a phensil oedd yn para tua awr yr un. Byddwn yn cwrdd â Clive, ac yn mynd ag ef i'r ysbyty (erbyn hyn roeddwn i'n methu dibynnu arno i gyrraedd rhywle penodol ar amser penodol, ac roedd yr ysbyty yn agos at fy ngwaith). Weithiau byddwn i'n aros amdano, weithiau byddwn i'n mynd am dro, yna yn ei nôl ac yn gofalu ei fod yn cyrraedd adref yn ddiogel. Un tro canodd y larwm tân, ac eisteddodd y tri ohonon ni allan yn haul yr haf. Yn naturiol ddigon, dechreuwyd trafod beth roedd y profion yn ei ddangos. O leiaf, roedd testun y sgwrs yn un digon naturiol i fi. Ond dechreuodd yr un oedd yn gwneud y profion – seicolegydd ifanc ffeind iawn – ypsetio'n lân a dweud nad hi ddylai orfod rhannu'r canlyniadau â ni – gwaith y niwrolegydd oedd hynny. Ond roedd hi'n amlwg bod Clive yn gwneud yn wael iawn yn rhai o'r profion, ac nad oedd ei broblemau wedi'u cyfyngu i un maes penodol. Oherwydd rheoliadur y galon, roedd Clive yn methu cael sgan MRI, ond fe gafodd sgan CT (math o belydr X), ond doedd dim byd amlwg o'i le. Cafodd hefyd dynnu hylif o fadruddyn y cefn a'r ymennydd. Mae pennau tost yn un o sgileffeithiau mwyaf cyffredin tynnu hylif madruddyn y cefn, a'r cyngor i bawb sy'n ei gael yw gwneud dim byd ond gorffwys am ychydig ddyddiau ar ôl cael y prawf er mwyn i'r corff gael cyfle i adfer yr hylif. Ond dehonglodd Clive hyn yn ei ffordd unigryw ei hun: roedd wedi beicio i'r ysbyty ar gyfer y prawf (dydw i ddim yn cofio ble'r oeddwn i ar y pryd), felly fe feiciodd adref ar ôl y prawf – chwe milltir, i fyny ac i lawr rhiw eithriadol o serth – ac yna glanhau'r tŷ gyda'r sugnwr llwch. Pan gyrhaeddais i adref roedd yn eistedd ac yn cwyno am ychydig o gur yn ei ben. Drannoeth cododd am 5.30 y bore fel arfer, beiciodd i'r pwll a nofio. Yna fe feiciodd adref. Dywedais wrtho 'mod i'n meddwl ei fod yn ffŵl gwirion a cheisiais ei berswadio i fynd i'r gwely a gorwedd ar wastad ei gefn. Gwrthododd, ond yn ddiweddarach fe adawodd i fi ffonio'r meddyg. Roedd hi'n pryderu ddigon i ddod i'r tŷ i'w weld a gorchymyn iddo fynd i'r gwely ac gorwedd ar wastad ei gefn. Roedd Clive yn barod i wrando arni hi, ac fe arwyddodd hi nodyn salwch iddo – y cyntaf o nifer. Dyma'r tro cyntaf iddo gyfaddef nad oedd yn ddigon da i weithio. Dwi'n cofio'r dyddiad – 15 Hydref 1993 – diwrnod ei ben-blwydd yn 46 oed.

Wrth edrych yn ôl

Sut allwn i fod wedi bod mor ddall? Roedd ymddygiad Clive mor wahanol, a phethau roedd ef wedi arfer eu gwneud yn iawn y tu hwnt iddo erbyn hyn. Y gwir yw, newidiodd pethau mor araf a graddol fel bod pob cam yn ymddangos yn hollol resymol. Mae pobl yn gwrthdaro yn erbyn eu penaethiaid yn y gwaith. Mae gwŷr yn anghofio'u bod wedi addo gwarchod y plant ar noson arbennig; ac mai rhai wedi anghofio pen-blwydd eu gwraig. Mae dementia yn brin iawn mewn pobl dan 65 oed; ac ni fydd y rhan fwyaf o feddygon yn dod ar draws yr un achos yn ystod eu gyrfa. Ac ar ôl y cyfnod cynnar, wnaeth Clive ddim cyfaddef erioed ei fod yn cael anawsterau; yn wir, fe ddaeth yn dda iawn am guddio unrhyw broblem. Ond fe allai ein bywydau fod wedi bod gymaint yn well petai ei salwch wedi cael ei adnabod yn gynt. Fe allen ni fod wedi osgoi'r holl ddadlau a'r anghytuno. Fe allen ni fod wedi cael tair blynedd dda arall gyda'n gilydd a gwneud y mwyaf o amser Clive gyda'i blant. Petai Clive wedi cael diagnosis o'i salwch yn 1989, cyn y problemau â'r Fyddin, fe allen ni fod wedi gwneud y mwyaf o'r amser oedd yn weddill gyda'n gilydd, yn lle ei dreulio yn bod yn flin, yn camddeall, ac yn drist. A byddai ein sefyllfa ariannol wedi bod gymaint yn well.

Roeddwn mewn cynhadledd ychydig yn ôl lle dywedodd un o'r cyfranwyr, geriatregydd o America, ei fod yn erbyn rhoi diagnosis cynnar iawn i bobl. Esboniodd fod rhoi diagnosis o 'ddementia cynnar posibl' yn achosi stigma i bobl, gan effeithio ar eu perthynas â phawb o'u cwmpas, efallai yn eu hatal rhag gyrru ac yn gwneud eu bywydau'n fwy anodd yn gyffredinol, heb fod o unrhyw help iddyn nhw. Roedd arna i eisiau ei holi am ddiagnosis cynnar i bobl iau, pobl â swydd, â morgais ac efallai â theulu ifanc oedd yn dibynnu arnyn nhw. Gallai diagnosis cynnar iddyn nhw olygu ymddeol ar sail afiechyd ac ar bensiwn, yn hytrach na chael eu diswyddo a bywyd o dlodi. Ond ches i mo'r cyfle – roedd y gynhadledd yn un brysur iawn ac fe fethais i ddal ei lygad. Mae'n wir, mae'n anodd iawn rhoi diagnosis o ddementia hyd yn oed pan mae wedi datblygu, ond mae'n bosibl trin ambell gyflwr sydd â symptomau tebyg. Hyd yn oed os mai dementia yw'r diagnosis yn y pen draw, mae bywyd yn llawer mwy cyfforddus wedyn os yw'r un sydd â dementia yn gallu ymddeol ar sail afiechyd, a chadw'r pensiwn sy'n ddyledus iddo. Byddai hyn hefyd yn rhoi amser iddo wneud trefniadau ac, os yw'n dymuno, wneud ewyllys fyw neu rywbeth tebyg.

Hyd yn oed wrth edrych yn ôl, dwi'n ei chael hi'n anodd gweld beth allwn i fod wedi'i wneud yn wahanol. Newidiodd pethau mor araf ac roedd y symptomau cyntaf mor niwlog. Wnes i erioed feddwl y dylwn i drio gweld meddyg Clive. Doeddwn i ddim yn sylweddoli bod ganddo broblem feddygol. Mewn gwirionedd, mae hi'n dal i fod yn anodd i fi ddeall salwch sy'n gwneud i rywun anghofio sut mae sillafu. Ar y pryd, roedd Clive wedi'i gofrestru gyda meddyg yn y Fyddin, a byddai gofyn am gael ei weld wedi golygu goblygiadau o ran gwaith Clive. Beth bynnag, fyddwn i ddim wedi disgwyl iddo 'ngweld i. Efallai y gallwn i fod wedi mynd at fy meddyg fy hun, ond roeddwn yn treulio llawer gormod o amser gydag ef fel roedd hi gydag anhwylderau amrywiol a mân ddamweiniau'r plant. Doedd gen i ddim ffrindiau agos roeddwn i'n gallu ymddiried ynddyn nhw, ac roeddwn i'n teimlo fel hen wraig gegog. A dweud y gwir, am amser hir doeddwn i ddim yn siŵr ai gen i oedd y broblem, nid Clive. Wnes i ddim sôn wrth fy nheulu nac wrth deulu Clive am y peth. Roedd hi'n amhosibl codi'r fath bwnc dros y ffôn. Pan soniais i wrth un o fy ffrindiau amdano, o'r diwedd, roeddwn i'n teimlo fel 'mod i wedi bradychu Clive drwy gydnabod fy amheuon.

Roeddwn i'n rhwystredig ac yn poeni'n fawr y rhan fwyaf o'r amser. Byddai Clive yn dweud, os nad oedd gen i rywbeth i boeni amdano, y byddwn i'n poeni am y pethau doeddwn i ddim yn gwybod y dylwn i boeni amdanyn nhw. Eto, wrth edrych yn ôl, mae popeth yn ymddangos yn glir iawn, ond y peth mwyaf poenus am yr amser hwn yw nad oedd Clive yn poeni o gwbl am y pethau oedd o le. Mae'r difaterwch hwnnw, y derbyn popeth yn dawel, yr anallu i weld canlyniadau'r hyn roedd yn ei wneud, yn symptom amlwg o'i salwch.

Mae'n amlwg i fi nawr, pe bawn i wedi deall nad dim ond fi oedd yn cael trafferth cyfathrebu â Clive, a bod ei gyd-weithwyr hefyd yn cael yr un drafferth, y byddai deng mlynedd olaf bywyd Clive wedi bod yn haws ac yn hapusach o lawer.

Pennod 2

Yr Hen Clive

Mae'n ddiwrnod hyfryd o wanwyn yn gynnar yn 1970, dydd Sadwrn cyntaf y tymor. Ychydig ddyddiau'n ôl, roedd Clive a minnau'n cerdded yn y caeau o gwmpas cartref fy rhieni yn Swydd Efrog, ac am yr unig dro yn fy mywyd, fe welais i ysgyfarnogod yn paffio. Heddiw mae Clive yn mynd i fynd â fi mewn cwch ar yr afon. Dwi'n gorffwys ar y clustogau wrth iddo lywio'r cwch allan o'r cefnddwr i afon Cherwell. Mae'r haul yn gynnes ar fy nghefn, ond wrth i fi roi fy llaw yn y dŵr mae'n dal i fod yn oer iawn. Mae Clive yn edrych yn olygus iawn, y dŵr yn diferu o'i freichiau wrth iddo ddal y polyn – pren syth 12 troedfedd o hyd gyda fforch ar un pen iddo. Mae'r cefnddwr yn fas iawn, a dim ond troedfedd neu ddwy mae'r polyn yn mynd i lawr ynddo, ond allan ar yr afon mae'r dŵr yn ddyfnach ac mae'n rhaid i Clive eistedd yn ei gwrcwd er mwyn iddo allu dal ei afael ar ben y polyn. Mae Clive yn gwneud iddo ymddangos yn hawdd iawn: wrth iddo godi o'i gwrcwd mae'n taflu'r polyn i'r awyr ac yna'i ddal yn y canol yn barod i wthio eto. Mae'r polyn yn gwneud sŵn 'sblosh' yn y dŵr, ac mae dwylo Clive yn symud i fyny'r pren wrth iddo wthio'r cwch yn ei flaen. Yna mae'n tynnu'r polyn o'r gwaelod ac yn gadael iddo lusgo yn y dŵr am eiliad neu ddwy cyn gwneud y cyfan eto. Mae'r coed helyg sydd ar ddwy lan yr afon yn dechrau deilio, y cennin Pedr yn y parciau'n dechrau gwywo, ac mae ambell deulu o hwyaid bach allan ar yr afon yn gweld y byd mawr am y tro cyntaf. Rydyn ni'n mynd o dan Bont yr Enfys, ei bwa uchel wedi'i gynllunio'n arbennig i alluogi'r cychod i fynd oddi tani. Mae'n rhy gynnar yn y tymor i nifer fawr o gychod fod allan a dim ond ni sydd ar yr afon, fwy neu lai. Mae'r haul mor boeth, a gwylio Clive yn gwthio'r polyn yn beth mor hypnotig, dwi bron â chysgu, ond dwi'n penderfynu bod yn egnïol a thrio llywio'r cwch. Mae'r ddau ohonon ni'n newid lle, a'r cwch yn ysgwyd braidd. Erbyn hyn mae Clive yn eistedd yn fy wynebu, a minnau'n sefyll ar y pen yn dal y polyn. Mae'n drwm iawn, ac mae'n rhaid i fi fodloni ar symudiadau mwy herciog wrth imi godi fy nwylo ar ei hyd yn barod i'w ollwng yn syth i'r dŵr. Roedd Clive wedi cadw ei hun yn eitha sych pan oedd ef yn llywio, ond o fewn dim amser dwi'n wlyb domen wrth i'r dŵr mwdlyd lifo i lawr fy mreichiau a fy nghorff. Pan mae Clive yn llywio, mae'r polyn yn aros yn agos at y cwch a hwnnw'n symud ymlaen mewn un symudiad llyfn. Yn anffodus, pan fydda i'n ei wthio, dydi'r polyn ddim yn aros wrth ochr y cwch. Dydyn ni ddim yn symud i fyny'r afon ond ar ei thraws tuag at y lan. Mae Clive yn gafael yn y rhwyf yn barod i wthio yn erbyn llwyn o ddrain a'n gwthio ni'n ôl i ganol yr afon, ac ar yr un pryd yn dweud wrthyf i sut i ddefnyddio'r polyn i'n llywio. Dwi'n symud yn herciog i lawr y polyn ac yn rhoi cynnig arall arni. Y tro yma dwi'n llwyddo i wthio'r cwch sawl gwaith cyn i ni anelu eto at y lan a chael ein dal mewn canghennau coeden helyg. Mae'r ddau ohonon ni'n wan gan chwerthin ac wedi ein dal go iawn gan y goeden – gall Clive ein gwthio i ffwrdd gyda'r rhwyf ond mae rhyddhau'r polyn yn anodd iawn. Ychydig yn ddiweddarach a dwi'n teimlo'n fwy hyderus. Mae un gwthiad hir yn ein symud ymlaen, a dwi'n tynnu'r polyn allan yn barod i wthio eto. Efallai y gwna i gopïo Clive a thaflu'r polyn i'r awyr cyn ei ddal a'i wthio'n ôl i'r dŵr a dydw i ddim yn canolbwyntio. Mae'r polyn yn dal i fod yn sownd yn yr afon. Dwi'n dal fy ngafael ynddo, mae'r cwch yn symud ymlaen, ond mae'r polyn dwi'n sownd wrtho yn llonydd. 'Gollynga'r polyn nawr,' meddai Clive. Dydi Clive ddim yn gweiddi ond mae ei lais yn llawn awdurdod. Dwi'n gollwng fy ngafael yn y polyn. Mae'r cwch yn symud ymlaen yn osgeiddig gyda'r polyn y tu ôl inni, yn sownd yn y mwd. Diolch i Clive dydw i ddim yn 'fwnci ar bric' yng nghanol yr afon, fel cymaint o ddechreuwyr, sydd yna'n llithro i lawr i'r dŵr. Rydyn ni'n nôl y polyn ac mae Clive yn gwthio'n cwch ni adref. Mae wedi bod yn brynhawn hudolus.

Fe wnes i gyfarfod â Clive ar ddiwedd fy nhymor cyntaf ym Mhrifysgol Rhydychen. Roeddwn i wedi mynd i Glwb Jiwdo'r Brifysgol gyda ffrind, a Clive oedd yr hyfforddwr; roedd ei siaced jiwdo wedi dod yn rhydd, roedd yn disgleirio gan chwys, a diferai chwys o'i drwyn. Ymunon ni â'r dosbarth ac roedd y wers yn un mor ddwys fel mai prin roeddwn i'n gallu symud drannoeth, er gwaethaf yr ymarferion ystwytho ar y diwedd. Roedd gen i wyliau'r Nadolig i ddod dros y profiad yn iawn ac ymunais â'r clwb jiwdo ar ddechrau'r tymor nesaf. Roedd yn ddosbarth cyfeillgar, a gan fod yr ystafell ymarfer yn fach, yn gyfyngedig o ran nifer yr aelodau. Yn naturiol fe ddechreuodd y ddau ohonon ni sgwrsio a sylweddoli ein bod ni'n dau'n dod o Swydd Efrog a bod ein teuluoedd yn byw o fewn ychydig filltiroedd i'w gilydd. Fe wnaethon ni gynlluniau i fynd i gerdded yn y Dales adeg gwyliau'r Pasg. Gallai Clive yrru ac fe lwyddodd i fenthyg car, a gwnaeth hyn gryn argraff arna i. Daeth i fy nôl i un bore ac yn fy nghyffro fe anghofiais i fy esgidiau cerdded; fe sylweddolais i hyn ar ôl ychydig filltiroedd. Roedd yn rhaid i fi gyfaddef hyn i Clive a gofyn iddo am fynd yn ôl. Yn fy nheulu i, byddai'r fath gyfaddefiad wedi achosi sawl ochenaid a sylw bod hyd yn oed myfyrwyr Rhydychen yn gallu bod yn dwp ar adegau. Byddai'r daith adref wedi bod yn un dawel ac annifyr. Ond chwarddodd Clive nerth ei ben, troi'r car am adref a pharhau i drafod ble gallen ni fynd am y dydd. Roedd hyn yn rhywbeth hollol newydd i fi, a dwi'n credu mai dyna pryd y dechreuais gwympo mewn cariad ag ef.

Roeddwn yn fy mlwyddyn gyntaf yn astudio am radd mewn ffiseg; roedd Clive yn ei flwyddyn olaf yn astudio biocemeg. Doedd Clive ddim yn academydd greddfol; roedd yn aelod gweithgar o Gorfflu Hyfforddi Swyddogion y Fyddin ac yn asgwrn cefn y clwb jiwdo. Fe alwai heibio bron bob dydd am baned ar ôl diwrnod o adolygu. Roedd ysgol hyfforddi parasiwtio'r RAF i'w gweld yn glir o'r llyfrgell fiocemeg yn Weston-on-the-Green a byddai Clive wastad yn dweud wrthyf sut roedd yr ymarfer parasiwtio'n mynd. Fyddai byth yn dweud wrthyf sut roedd yr adolygu'n mynd ond roedd hi'n amlwg ei fod yn ei orfodi ei hun i astudio pwnc nad oedd ganddo fymryn o ddiddordeb ynddo. Gallai fenthyg un o gychod y coleg a bydden ni'n treulio sawl prynhawn a min nos ar yr afon – byddai ei ffrindiau'n disgrifio Clive mewn cwch fel gyrrwr cwch modur. Roedd gan y ddau ohonon ni berthynas reit gystadleuol. Un penwythnos cefais fy nhynnu i mewn i drefnu cystadleuaeth jiwdo. Roedd yn rhaid i ni symud yr holl fatiau o'r ystafell ymarfer fach i fyny i ystafell fwy ar y llawr nesaf. Roedd y matiau'n drwm a'r ddwy ystafell yn eitha pell oddi wrth ei gilydd, ond doedd yr un ohonon ni am fod y cyntaf i ofyn am seibiant, felly fe symudon ni'r matiau yn yr amser cyflymaf erioed.

Roedd arholiadau Clive cyn fy arholiadau i, felly roedd ganddo ychydig o ddyddiau rhydd. Roedd Clive wastad yn berson egnïol ac yn awyddus i gadw'n ffit; un o'r syniadau lloerig oedd ganddo'r adeg hon oedd cerdded am 24 awr i weld pa mor bell y gallai fynd. Dechreuodd yn gynnar un bore yn yr haf ond tua awr yn ddiweddarach fe ddaeth i'r coleg lle'r oeddwn i'n cael brecwast. Dywedodd fod ei esgidiau'n dechrau rhwbio, a oedd yn golygu nad oedd pwynt parhau i gerdded. Fe fyddwn i wedi teimlo rheidrwydd i barhau nes cael o leiaf pothell neu ddwy, ond nid un felly oedd Clive. Fyddai Clive byth yn teimlo bod rheidrwydd arno i esbonio'i hun.

Ar ôl gadael y coleg gwnaeth Clive gais i ymuno â'r Fyddin. Fe wnaethon ni gyfarfod yn Efrog ddiwrnod ei brawf meddygol, cerdded o gwmpas y muriau mewn haul hyfryd ac yna mynd i'r sinema. Collais y trên olaf oherwydd 'mod i wedi drysu'r amserau, felly cafodd Clive fenthyg car ei fam a fy ngyrru i adref. Roedd hi'n fyd gwahanol bryd hynny – roeddwn i'n methu ffonio fy rhieni ac esbonio y byddwn i'n hwyr, gan nad oedd ffôn yn ein tŷ ni.

Cafodd Clive ei dderbyn i'r Fyddin, ac ymunodd â'r Gatrawd Barasiwtwyr. Daeth i 'ngweld i yn union cyn iddo ddechrau a chytunodd y ddau ohonon ni nad oedd dim byd arbennig rhyngon ni; roedd Clive o ddifri am ei yrfa filwrol, ac roeddwn i o ddifri am fy ngradd, felly fe gytunon ni ar 'ffarwél, fy annwyl gariad', ac fe aeth i Aldershot. Ond esgus bod yn ddifater oeddwn i – roeddwn i'n mwynhau ei gwmni'n fawr a doeddwn i ddim yn edrych ymlaen at beidio â'i weld eto. Ond roedd gen i bethau eraill i edrych ymlaen atyn nhw, gan gynnwys dychwelyd i Rydychen, ond cadwodd fy hunan-barch fi rhag dweud dim am hyn wrtho. Os nad oedd Clive am fod gyda fi, popeth yn iawn.

Ychydig wythnosau wedyn fe es i'n ôl i Rydychen a chlywed bod Clive yn Abingdon, ychydig filltiroedd i'r de o Rydychen, am sawl wythnos o hyfforddiant parasiwtio. Dydi tywydd mis Hydref yn Lloegr ddim yn arbennig o addas ar gyfer parasiwtio, felly roedd tipyn o amser rhydd gan Clive, ac fe dreuliodd lawer ohono yn Rhydychen gyda fi. 'Ha,' meddyliais. Ddim am fy ngweld i eto, wir! Ym mis Ionawr ymunodd Clive â 'Chwmni P' y Gatrawd Barasiwtwyr. Mae'r Gatrawd Barasiwtwyr wastad wedi ymfalchïo yn safon ei ffitrwydd a 'Chwmni P' oedd man dechrau hyn. Am sawl wythnos roedd Clive yn rhedeg i fyny bryniau ac yn gorymdeithio'n bell gyda rycsac drom ar ei gefn ar draws Bannau Brycheiniog. Daeth i 'ngweld i ar rai penwythnosau gan fy anfon i Marks & Spencer i brynu teits maint mawr a thrôns hir; roedd hi'n aeaf oer ofnadwy a dwi'n credu ei fod wedi cael amser eitha diflas. Yn sicr, ddaeth e byth i gerdded y Bannau gyda fi ar ôl hynny.

Rywbryd yn ystod y cyfnod hwn, pan oedd Clive wrthi'n hyfforddi, ac yn ymweld â fi pan fyddai'n rhydd, daeth ein perthynas yn un ddifrifol, o leiaf o fy rhan i. Pan oedd Clive yn fyfyriwr roedd fel pysgodyn yn trio dysgu hedfan. Ond ar ôl ymuno â'r Fyddin, roedd yn ei elfen, yn llawer mwy hamddenol a hunanhyderus, a dechreuais ddod i'w adnabod yn well. Roedd Clive yn berson tawel iawn erioed, ond roedd y ddau ohonon ni'n rhannu synnwyr digrifwch digon rhyfedd, ac roedd yn ddyn gonest, unplyg a dibynadwy. A gan fod y ddau ohonon ni'n dod o Swydd Efrog, roedden ni'n unedig yn erbyn pobl y De.

Roedd Clive yn wahanol i'r holl fyfyrwyr eraill roeddwn i'n eu hadnabod. Roeddwn i'n astudio ffiseg – un o tua 20 o ferched mewn grŵp o 200 – a fy mhrif ddiddordebau bryd hynny oedd jiwdo a dringo, y ddau'n apelio fwyaf at ddynion, felly roeddwn i'n adnabod digon o ddynion eraill. Roeddwn i'n dipyn o domboi, ond roedd Clive fel petai'n hoffi ac yn cymeradwyo hyn, yn wahanol i nifer o'r dynion eraill. Roeddwn i'n hoffi ei ffrindiau ac roedd Clive yn cyd-dynnu'n dda gyda fy ffrindiau i; roedden ni'n eneidiau hoff cytûn. Ac roedd e'n rhywiol iawn. Doeddwn i byth yn meddwl llawer am sut olwg oedd arno, ond un diwrnod roedden ni allan gyda'n gilydd pan gwrddon ni â ffrind i fi oedd heb weld Clive o'r blaen. Dywedodd hi ei fod e'n olygus iawn, a phan edrychais innau arno, roedd yn rhaid i fi gytuno.

Yn sgil perthyn i Gwmni P, roedd Clive yn benderfynol o gadw'i hun yn ffit. Bob diwrnod ar ôl hynny, ble bynnag y byddai'r Fyddin yn ein hanfon, a beth bynnag fyddai'r tywydd, byddai'n rhedeg am awr bob dydd o leiaf. Byddai hefyd yn beicio i'r gwaith os byddai hynny'n bosibl (ac roedd yn barod i feicio ymhellach na nifer o bobl, ac ar ffyrdd mwy prysur). Ar ôl gorffen ei hyfforddiant yng Nghwmni P, ymunodd ag ail fataliwn y Gatrawd Barasiwtwyr fel is-lefftenant, ac aeth yn fuan i Belfast – roedd hyn yn 1971 a'r Trafferthion yn eu hanterth. Fe wnes i ymweld ag ef unwaith, yng nghanol ei gyfnod pedwar mis, a chael y fraint o weld ochr fregus ei gymeriad. Gafaelai ynof fi fel yr oeddwn yn dychmygu y byddai dyn sy'n boddi yn gafael mewn rafft. Mae hyn yn dangos y pwysau oedd arno ar y pryd, gan na ches i weld yr ochr hon ohono byth wedyn; ddim hyd yn oed pan oedd yn sâl. Roedd Clive yn ymfalchïo mewn bod yn bwyllog, yn rhesymol ac yn hunangynhaliol. Ond doedd e ddim mor oeraidd ag y mae hynny'n awgrymu, fodd bynnag. Roedd Clive yn credu y byddai wedi methu petai'n dangos dicter neu ofn. Fe ddes i adref o Ogledd Iwerddon yn gwisgo modrwy ddyweddïo.

Daeth i 'ngweld i ar ddiwedd y pedwar mis yn Iwerddon. Roedd hi'n fis Tachwedd, ac roedd plant bryd hynny yn cael prynu tân gwyllt a'u gollwng yn y stryd. Ychydig ddyddiau ar ôl iddo ddychwelyd, roedden ni'n mynd am dro pan glywson ni glec. Edrychais o'n cwmpas ni, ac yna sylweddolais fod Clive wedi diflannu – roedd wedi ymateb ar unwaith ac wedi neidio dros ben wal. Ar y pryd roeddwn i'n meddwl bod hyn yn ddoniol. Dim ond wedyn y sylweddolais i mor wahanol oedd bywyd Clive yn y Fyddin o'i gymharu â fy mywyd tawel, diogel i fel myfyriwr israddedig yn Rhydychen.

Bu Clive yng Ngogledd Iwerddon bedair gwaith dros y ddwy flynedd nesaf. Rhwng y cyfnodau hyn, byddai'n byw yn Aldershot. Dilynwyd un daith gyda gwyliau hwyliog yn Jamaica. Roedd yn rhan o dîm arddangos parasiwtio cwymp rhydd i mewn i stadiwm bêl-droed. Yn anffodus, roedd y gwynt yn gryfach na'r disgwyl a methodd rhai o'r tîm y stadiwm. Ddywedodd Clive byth wrthyf i a oedd yntau'n un ohonyn nhw. Pan ddychwelodd fe wnes i gyfarfod ag ef yn Brize Norton ac roedd ei ddant blaen wedi torri. Roedd wedi neidio i mewn i nant o ddŵr clir nad oedd mor ddwfn ag yr oedd wedi'i obeithio ac wedi taro'i geg. Doedd Clive ddim yn un i hanner gwneud pethau – roedd wedi torri ei ddant ychydig o dan linell y deintgig ac roedd y nerf yn y golwg. Roedd hyn yn union cyn iddo hedfan adref, felly roedd wedi cymryd dau asbirin a mynd ar yr awyren. Mae'n rhaid bod y poen yn ei ddant yn annioddefol, ond mae'n siŵr gen i nad oedd Clive wedi meddwl am greu ffwdan a hedfan adref yn ddiweddarach.

Fe ddyweddïon ni yn yr haf ar ddiwedd fy ail flwyddyn yn y coleg, a phriodi y flwyddyn ganlynol. Doeddwn i ddim wedi anghofio fy ngobeithion am yrfa. Roeddwn i'n tybio y gallwn i gael y ddau. Erbyn hyn roeddwn i dros fy mhen a 'nghlustiau mewn cariad, ac roeddwn am fod gyda Clive beth bynnag arall fyddai'n digwydd. Heddiw, mae'n fwy na thebyg y bydden ni wedi byw gyda'n gilydd, ond doedd hynny ddim yn bosibl bryd hynny, yn enwedig i swyddog yn y Fyddin. Bu bron i bethau chwalu cyn inni ddechrau. Roedden ni wedi bwriadu priodi yng nghanol mis Awst, ond anfonodd y Fyddin Clive i Iwerddon ar fyr rybudd. Roedd Clive yn credu bod hyn yn jôc fawr; ond doeddwn i ddim yn meddwl ei bod hi'n ddoniol ac fe gawson ni ddadl danbaid ar y ffôn ac mewn llythyr. Ond fe dawelodd pethau cyn iddo ddod adref ac fe briodon ni fis yn ddiweddarach. Roedden ni wastad yn dadlau ynglŷn â'r dyddiad. Roeddwn i'n credu ein bod ni wedi priodi ar yr unfed ar bymtheg, ond roedd Clive yn meddwl mai'r ail ar bymtheg oedd y dyddiad. Yn y diwedd fe edrychon ni yn y blwch sigaréts arian, yr anrheg draddodiadol gan gyd-weithwyr Clive, er nad oedd yr un ohonon ni'n smygu – a Clive oedd yn iawn, fel arfer. Dwi ddim yn gwybod pam y byddwn i'n dadlau. Roedd Clive yn iawn bron bob tro.

Fe arhosais i yn Rhydychen a dechrau ar fy ngwaith ymchwil, ac arhosodd Clive yn Aldershot ac ymweld â fi bron bob penwythnos. Dechreuodd y ddau ohonon ni barasiwtio cwymp rhydd, gan dreulio'r penwythnosau yn Weston-on-the-Green yn disgwyl i'r cymylau glirio neu i'r gwynt ostegu. Pan fyddai popeth yn cyd-fynd, byddai parasiwtio cwymp rhydd yn deimlad gwych. Bydden ni'n mynd i sgio adeg y Nadolig, ac roedd bywyd yn braf.

Ar ôl pedair blynedd yn y Gatrawd Barasiwtwyr, gwnaeth Clive gais i gael ei drosglwyddo i Gorfflu Ordnans y Fyddin, gyda'r bwriad o gael ei hyfforddi fel arbenigwr ffrwydron a swyddog difa bomiau. Roedd wedi gweithio gyda'r sgwad difa bomiau yng Ngogledd Iwerddon ac wedi cael ei ysbrydoli. Ond doedd dim sicrwydd o gwbl y byddai'n cael ei dderbyn. Roedd nifer fawr o filwyr wedi'u hanafu yn nyddiau cynnar y Trafferthion, ac roedd y Fyddin wedi cyflwyno profion dethol llym iawn, gan gynnwys holiadur seicolegol. Roedd Clive yn methu deall y cysylltiad rhwng ei foddhad o wisgo sliperi blewog a'i allu i drin ffrwydron, ond mae'n amlwg ei fod wedi ateb y cwestiwn yn iawn, gan iddo gael ei dderbyn i'w hyfforddi. Aeth i Swydd Warwig; roeddwn i wedi penderfynu erbyn hynny nad oedd ymchwil ffiseg yn wir at fy nant. Roeddwn i wedi cael swydd ger Aldershot, ond yn fuan iawn ces fy anfon i'r Alban ar brosiect. Yn ffodus, roedd gan Clive ychydig o wyliau i ddod cyn dechrau'r cwrs, ac fe dreulion ni fis hapus yn dringo mynyddoedd yr Alban ac yn trio cadw gwybed mân draw.

Ar ôl ei hyfforddiant i drin ffrwydron, anfonwyd Clive i'r Almaen, a oedd yn bell iawn o fynydd-dir yr Alban yn y dyddiau cyn teithiau rhad mewn awyren, felly fe es i draw ato. Llwyddais i gael gwaith gyda chwmni Almaenig, dysgu Almaeneg, a magu chwant at archwilio gwahanol lefydd a diwylliannau. Yna anfonodd y Fyddin Clive yn ôl i Ogledd Iwerddon fel swyddog difa bomiau. Fyddai e byth yn sôn am ei amser yno, gan ei gwneud hi'n glir iawn fod y cyfan yn dod o dan y Ddeddf Cyfrinachau Swyddogol. Hyd yn oed nawr mae ei gyd-weithwyr yn gyndyn iawn i sôn am y peth yn gyhoeddus. Yn ddiweddarach pan oeddwn yn clirio rhai pethau, fe ddes ar draws rhai lluniau o'i weithgareddau yn difa bomiau ac roeddwn i'n ddiolchgar iawn nad oedd Clive wedi cael damwain. I Clive, roedd y cyfnod hwn yn un o uchafbwyntiau ei fywyd: roedd yn gwneud y swydd roedd wedi'i hyfforddi ar ei chyfer, roedd ei waith yn cael ei werthfawrogi ac yn werth chweil, ac roedd yn rhan o grŵp dethol iawn.

Roedden ni wedi parhau i barasiwtio cwymp rhydd hyd yn oed ar ôl i Clive adael y Parasiwtwyr, ond ar ôl inni ddychwelyd i'r DU roedd parasiwtio cwymp rhydd yn gostus ac yn rhwystredig iawn – collwyd sawl penwythnos oherwydd y tywydd neu brinder awyrennau.

Felly fe ddechreuon ni chwilio am gamp arall. Roedd y clwb deifio'n chwilio am aelodau ac fe ymaelododd y ddau ohonon ni. Pwll graean mwdlyd yn Lloegr oedd y lle cyntaf i ni ddeifio, ond yna fe aethon ni ar wyliau i Gibraltar ac roeddwn i wrth fy modd gyda'r gamp. Doedd Clive byth mor frwd ag yr oeddwn i, ond daeth gyda fi yn gwmni. Fe aethon ni i lawr i Portsmouth i archebu gwisgoedd deifio; roedd hi'n ddydd Sadwrn ac roedden ni wedi cael ein mesur am y gwisgoedd erbyn canol y bore. Yn ddirybudd dywedodd Clive fod awydd gweld a allai redeg marathon wedi bod arno erioed; roedd un ar Ynys Wyth y prynhawn hwnnw, ac a oeddwn i'n meindio petai'n dal y fferi i'r ynys ac yn rhedeg? Dyna'r tro cyntaf i fi glywed am yr uchelgais, ond nid y tro olaf, yn bendant. Rhedodd un bob hyn a hyn am y ddwy flynedd nesaf, a'i amser cyflymaf oedd tair awr a munud. Roedd bob amser yn gobeithio cael gwared â'r funud honno yn ei ras nesaf, ond methodd wneud hynny.

Mae'n werth nodi nad oedd Clive bron byth yn sâl, ddim hyd yn oed gydag annwyd. Fe ges i lid y pendics, broncitis a datgymalu fy mys bawd wrth sgio a llu o fân anafiadau a salwch, ond dim ond unwaith dwi'n cofio i Clive fod yn sâl, gyda'r ffliw. Eitha da, mewn cyfnod o 15 mlynedd.

Cafodd Clive ei ddewis i fynd ar Gwrs Staff y Fyddin – cwrs hyfforddi blwyddyn o hyd yn Camberley i'r rhai oedd â'r potensial i fynd ymhell. Roedd wedi'i ddyrchafu'n Uwch-gapten erbyn hyn, ac roedd fel petai gyrfa ddisglair o'i flaen. Ar ôl cwrs Camberley cafodd Clive swydd staff yn Llundain. Roedd yn casáu'r teithio bob dydd i'r swyddfa, ac roedd hefyd yn casáu'r gwaith. Roedd yn gweithio ar gynlluniau i atgyfnerthu'r Fyddin ar afon Rhein petai Rwsia yn ymosod (roedd hyn adeg y Rhyfel Oer). Credai fod hyn yn wastraff amser, ac roedd yn argyhoeddedig y dylen ni boeni mwy am fygythiad grwpiau brawychwyr. Ond roedd ei ffrindiau yn yr adran swyddi tramor heb ei anghofio; ar ôl ychydig fisoedd roedden ni'n symud unwaith eto. Roedd Byddin yr Emiradau Arabaidd Unedig (UAE) wedi gofyn am gael benthyg arbenigwr ffrwydron, ac i ffwrdd â ni i Dubai.

Pan gyrhaeddon ni, roedd hi'n ganol haf a'r tymheredd yn 48 gradd Celsius ar ein diwrnod cyntaf. Roedd Clive yn dechrau ar ei waith drannoeth. Roedd yn awyddus i ddechrau ar unwaith ac roedd ganddo lawer o bethau i ddod yn gyfarwydd â nhw. Roedd yn gyfrifol am 150 o ddynion ac am brynu holl ffrwydron cangen Dubai o Lu Amddiffyn yr UAE, eu storio, eu defnyddio ac yna'u difa. Er bod llawer o bobl yn siarad Saesneg, Arabeg oedd iaith y gwaith, a llwyddodd Clive i'w dysgu'n weddol gyflym.

Ces fy ngadael i wneud fel y mynnwn ac yn fuan iawn cysylltais â'r clwb deifio lleol a dechrau rhoi gwersi. Bob dydd Gwener byddwn i'n deifio a byddai Clive yn aml yn ymuno â fi. Ar ôl i fy myfyrwyr gymhwyso i ddeifio yn y môr, fe gymeron ni nhw at long oedd wedi'i dryllio i ddenu pysgod. Dilynais y drefn gywir a mynd â'r deifwyr yn ofalus o gwmpas tu allan y llong. Ond, fel y ces i wybod yn nes ymlaen, nid oedd Clive mor betrus. Aeth ef â'i ffrindiau drwy'r llong a thrwy ddrws a gaeodd yn fygythiol o glep y tu ôl iddyn nhw. Roedd ffordd arall i fynd allan o'r llong, ac roedd y ffordd honno'n gwbl ddiogel, ond bob tro yr awn i drwyddi roedd y glep yn atseinio'n fygythiol. Ond ni fyddai'r un o ffrindiau Clive byth yn cwyno, ac roedd yna gystadlu rhyngddyn nhw i ddeifio gydag ef yn hytrach na gyda fi.

Roedden ni yn Dubai yn ystod Rhyfel y Gwlff rhwng Iraq ac Iran, rhyfel sydd wedi'i anghofio erbyn hyn. Chafodd y rhyfel fawr ddim effaith arnon ni yn Dubai, ond gan mai yn anaml iawn y byddai Clive yn siarad am ei waith, dydw i ddim yn gwybod beth oedd yr effaith ar ei waith. Un diwrnod, daeth Clive adref yn anesmwyth iawn ac o'r diwedd dywedodd wrthyf ei fod wedi treulio'r diwrnod allan yn y Gwlff. Roedd taflegryn wedi taro llong dancer olew ond heb ffrwydro. Roedd Clive wedi bod wrthi'n difa'r taflegryn drwy dorri twll yn ochr y llong a gwthio'r bom yn ofalus i'r môr. Roedd yn anesmwyth oherwydd mai'r unig wisg oedd ganddyn nhw iddo i'w rhoi dros ei ddillad ei hun oedd un a oedd yn llawer rhy fach iddo. Dyna'r unig dro i mi glywed am ochr ymarferol ei waith; os byddai'n siarad o gwbl am ei waith, byddai'n sôn am waith y swyddfa a'r bobl roedd yn gweithio gyda nhw.

Roedd y ddau ohonon ni'n hoff iawn o Dubai. Pan ddaeth ei gyfnod i ben, gofynnwyd iddo aros yno a throsglwyddo i wasanaethau Dubai. Roedd yn benderfyniad anodd ond doedd yr un ohonon ni am setlo yno am amser hir; roedden ni'n hoffi'r rhyddid a'r gallu i symud gyda swydd Clive gyda Byddin Prydain. Roedd y ddau ohonon ni hefyd yn disgwyl y byddai ei yrfa'n parhau i ddatblygu, ac yn dechrau meddwl am gael teulu. Pan ddaethon ni'n ôl i'r DU, roeddwn yn llawn ddisgwyl y byddai popeth yn parhau i wella, fel yr oedden nhw hyd yn hyn.

Wrth edrych yn ôl

Doeddwn i ddim yn disgwyl i bethau bara am byth, ond roeddwn wedi gobeithio cael mwy o amser nag a gawson ni...

Pennod 3

Diagnosis

Rydyn ni'n sefyll ar ymyl y ffordd tu allan i barc bywyd gwyllt yn Kenya. Mae hi'n ganol haf ac mae'r haul yn grasboeth. Rydyn ni newydd dreulio wythnos ar gwch, yn deifio o gwmpas yr ynysoedd oddi ar arfordir Kenya. Mae heddiw yn ddiwrnod o orffwys; mae angen 24 awr rhwng diwrnodau deifio a hedfan i osgoi salwch datgywasgu. Pobl y gwesty oedd wedi awgrymu ymweld â'r parc sydd wedi'i greu o hen ardal fwyngloddio brig. Mae amonitau anferth, tair troedfedd ar eu traws ar hyd y llwybrau. Pan aethon ni i'r caffi i gael sudd oren, gwibiodd gibon allan o'r coed, bwrw fy ngwydr drosodd a dechrau llyfu'r ddiod oddi ar y bwrdd, a minnau'n syllu'n gegrwth arno fodfeddi yn unig i ffwrdd. Roedd staff y gwesty wedi bod yn awyddus iawn i archebu tacsi a gyrrwr i ni am y diwrnod; fyddai hyn ddim wedi bod yn ddrud o gwbl ond pan glywodd Clive ei bod hi'n bosibl mynd yno ar fws, penderfynodd ar unwaith mai dyna oedd y ffordd i ni deithio. Ar ôl mynd i'r dref a chrwydro o gwmpas y farchnad fe ddalion ni'r bws heb drafferth – gan mai o'r dref roedd e'n cychwyn. Ond roeddwn yn dechrau meddwl na fyddai hi mor hawdd i fynd yn ôl i'r dref. Roedden ni wedi bod yn sefyll ar ymyl y ffordd am yn agos i awr, ac roedd sawl bws wedi rhuthro heibio ac anwybyddu ein chwifio hamddenol. Fe edrychais i ar Clive, ond ar wahân i edrych ychydig ar goll, ni ddywedodd yr un gair. O'r diwedd cymerodd un o'r bobl leol drueni

> arnon ni. Pan ddaeth y bws nesaf chwifiodd ei freichiau'n wyllt cyn neidio i fyny ac i lawr. Arhosodd y bws a llwyddodd y ddau ohonon ni i wasgu arno. Aeth y bws â ni i farchnad y dref ac oddi yno cefais dacsi i fynd â ni'n ôl i'r gwesty. Dyna wers i fi – allwn i ddim dibynnu mwyach ar Clive i drefnu dim.

Roedd Clive wedi bod i weld niwrolegydd yn Rhydychen, ac wedi cael ei gyfeirio i gael sawl sesiwn o brofion niwroseicolegol. Rywbryd ym mis Tachwedd ffoniodd y niwrolegydd fi i drefnu amser i drafod canlyniadau'r profion i gyd. Ffoniodd fi yn y gwaith ac fe drefnais amser ar gyfer hyn ychydig ddyddiau'n ddiweddarach.

Roedd hi'n sgwrs anodd i'r ddau ohonon ni ac yn un fer iawn. Roedd annwyd trwm arno ac roedd wedi fy ffonio ar ddiwedd diwrnod hir. Roeddwn i wedi bod yn ffôl iawn yn gofyn iddo fy ffonio i ar ôl i mi orffen fy ngwaith ac felly roeddwn i wedi bod yn disgwyl drwy'r dydd am yr alwad. Erbyn hyn, dwi'n gwybod mai gwadu yw agwedd fel hon. Doeddwn i ddim ond yn meddwl fy mod i'n trio cadw fy mywyd gwaith a fy mywyd personol ar wahân. Cwta dwy funud barodd y sgwrs. Dywedodd wrthyf i fod dementia cynhenaint (*pre-senile dementia*) gan Clive, y byddai'n anfon manylion at ein meddyg, roedd hi'n ddrwg ganddo, hwyl fawr. Roeddwn i'n rhyw hanner disgwyl apwyntiad arall ganddo i gael rhagor o fanylion a chyfle i ofyn cwestiynau, ond chawson ni ddim un. Ddywedodd y niwrolegydd ddim byd wrth Clive chwaith; gadawodd y gwaith hwnnw i fi.

Dwi'n gwybod mai yn y swyddfa oeddwn i pan ddaeth yr alwad, a dwi'n cofio bod fy rheolwr yno hefyd, ond dwi wedi cau allan bopeth arall am y noson honno. Mae'n rhaid fy mod wedi dweud rhywbeth wrth fy rheolwr – wedi'r cyfan roedd hi'n hollol amlwg fy mod wedi cael newyddion drwg iawn. Dydw i ddim yn cofio mynd adref. Mae'n rhaid fy mod i wedi gwneud, gan yrru'r car heb ganolbwyntio. Mae'n rhaid fy mod wedi paratoi swper a rhoi bath i'r plant, wedi darllen stori iddyn nhw a'u rhoi yn y gwely, cyn paratoi swper arall i Clive a fi. Mae'n rhaid 'mod i wedi gwneud hyn i gyd, gan mai fi oedd bob amser yn gwneud hyn a phwy arall fyddai wedi gwneud, ond dwi'n methu cofio dim ohono. Mae'n siŵr 'mod i wedi mynd i'r gwaith drannoeth, wedi eistedd wrth fy nesg ac wedi syllu ar sgrin y cyfrifiadur, ond dwi'n methu cofio dim amdano. Roedd hi'n fis Tachwedd 1993, roedd Clive wedi bod heb waith ers dros flwyddyn. Roedd ein plant yn bedair ac yn bum mlwydd oed.

'Dementia cyn-henaint' – doedd hyn yn golygu fawr ddim i fi. Es i nôl y geiriadur. 'Dementia – gweithredu deallusol, fel y cof, yn dirywio'n gynyddol, fel arfer. Gall ddigwydd tra mae gweithrediadau eraill, fel y rhai sy'n rheoli symud a'r synhwyrau, yn parhau. O'r Lladin *de* i ffwrdd + *ment* meddwl.' 'Henaint – bywyd diweddarach.' 'Cyn – rhagddodiad, cyn, yn gynharach.' Am ddiagnosis ofnadwy i orfod ei roi i rywun yn ail law, heb gael cyfarfod arall i drafod na chael rhywun yno yn gefn. Doedd dim triniaeth iddo ac roedd hi'n amlwg fod y niwrolegydd yn credu ei fod wedi gwneud ei orau drwy roi'r diagnosis, ond dwi'n dal i gredu nad dyna'r ffordd i drin neb. Ac, yn anffodus, fe ddaeth yn amlwg iawn i fi yn ddiweddarach fod nifer fawr o bobl yn ystyried bod cael diagnosis o ddementia yn golygu bod yr un a oedd â'r cyflwr yn peidio â bod.

Mewn rhyw ffordd roedd cael y diagnosis yn dipyn o ryddhad. Roedd yr amheuaeth fod rhywbeth o'i le wedi cryfhau fwy a mwy dros yr wythnosau, y misoedd a'r blynyddoedd blaenorol. O'r diwedd roedden ni'n gwybod bod problemau go iawn yn bod, gydag achos go iawn ac enw go iawn. Roedd gennyn ni hefyd ryw syniad o sut fyddai pethau'n debygol o ddatblygu. Doedd y darlun ddim yn un braf, ond nid mor ddychrynllyd â fy hunllefau i. Gyda'r diagnosis, fe allen ni wynebu'r byd y tu allan – cyflogwyr, ffrindiau, athrawon, teulu – gydag esboniad ar ein sefyllfa.

Roedd yr ymgynghorydd wedi ein cyfeirio'n ôl at ein meddyg teulu, felly ychydig ddyddiau'n ddiweddarach roedden ni yn y feddygfa. Aethon ni'n dau i mewn gyda'n gilydd. Bron cyn iddo eistedd i lawr, dywedodd Clive yn ei lais milwrol di-lol gorau, 'Wel, faint o amser sy gen i?' Roedd golwg ar y meddyg fel petai rhywun wedi'i tharo â gordd. Doedd gan Clive ddim syniad o'i effaith arni. Doeddwn innau ddim yn siŵr iawn ai sioe oedd hyn, neu a oedd y salwch wedi'i ddrysu. Eglurodd y meddyg y rhesymau dros y diagnosis, soniodd am brosiect ymchwil yn Rhydychen a allai roi mwy o wybodaeth i ni, ac am yr Alzheimer's Society, ac i ffwrdd â ni.

Hwn oedd ein hymweliad cyntaf o nifer â hi, ac roedd hi bob tro yn gefnogol ac yn ein helpu.

Roedd fy mam yn byw yn Swydd Efrog, ddau gan milltir i ffwrdd, ond roedd y ddwy ohonon ni'n agos iawn. Roedd fy nhad wedi marw 18 mis cyn i Rachel gael ei geni, ac roedd Mam wedi treulio cryn dipyn o amser gyda ni pan oedd y plant yn fabanod. Roeddwn i'n llefain ar y ffôn wrth ddweud y newyddion wrthi. Dywedai'n aml wrthyf i wedyn gymaint o sioc roedd hi wedi'i chael, a byddai wedi bod yn well ganddi petawn i wedi gallu dweud wrthi wyneb yn wyneb. Ond ddywedodd hi ddim byd am hyn ar y pryd. Roedd hi eisoes yn dod aton ni dros y Nadolig, ac fe gynigiodd aros am bythefnos neu dair wythnos fel bod Clive a fi'n gallu cael gwyliau gyda'n gilydd.

Roeddwn i'n llefain hefyd o flaen fy rheolwr pan ddywedais wrtho pam roeddwn wedi aros yn hwyr yn y swyddfa y diwrnod hwnnw. Roeddwn i'n llefain o flaen fy nghyd-weithwyr pan oedden nhw'n cydymdeimlo â fi. Roeddwn i'n llefain o flaen prifathro ysgol y plant pan ddywedais wrtho. Ac fe fues i'n llefain ar ysgwydd Clive. Dydw i ddim yn cofio i Clive erioed lefain ar fy ysgwydd i. Faint o'r Clive naturiol oedd yn gyfrifol am hyn, faint o hyn oedd yr hunanreolaeth roedd y Fyddin wedi'i dysgu iddo, faint oedd yn deillio o'i gefndir teuluol a faint oedd ei salwch yn cymylu ei ddealltwriaeth o'r hyn oedd yn digwydd iddo, fydda i byth yn gwybod. Efallai fod Clive yn trio edrych yn ddewr, ond fe ddechreuais i ar farathon o lefain a barodd am ddwy neu dair blynedd. Doedd gen i ddim rheolaeth o gwbl drosto, a dwi'n dal i deimlo ychydig o gywilydd amdano. Ond doedd gen i ddim gobaith rheoli fy nheimladau.

Roedd mam Clive yn dal i fyw yn Swydd Efrog ac roedd ei frawd a'i chwaer hefyd yn byw cryn bellter oddi wrthon ni. Ond er hynny, roedden nhw'n deulu agos iawn a fyddai'n ffonio'i gilydd sawl gwaith yr wythnos. Doedd Clive ddim am ddweud wrth ei deulu; doedd e ddim 'am eu poeni nhw'. Fe wnes i drio'i berswadio eu bod nhw fwy na thebyg yn poeni yn barod, ac os nad oedden nhw eto wedi sylweddoli bod rhywbeth o'i le, fe fydden nhw'n sylweddoli cyn bo hir. Ond roedd Clive yn bendant. Roeddwn i mewn dau feddwl beth ddylwn i ei wneud, ond ar ôl un alwad ffôn ofnadwy o letchwith, penderfynais 'mod i'n methu dweud celwydd wrthyn nhw, ac yn wir yn amharod i drio gwneud, a byddai torri pob cysylltiad â nhw yn rhywbeth gwaeth o lawer. Felly fe ysgrifennais i dri llythyr anodd iawn at ei fam, ei chwaer a'i frawd gyda fy nagrau yn diferu ar fysellfwrdd y cyfrifiadur. Wrth gwrs, roedden nhw wedi sylwi bod rhywbeth o'i le, ac fel fi yn falch o allu rhoi enw ar yr hyn oedd yn digwydd. Roedd brawd Clive yn feddyg, ac fe gynghorodd ni i gael barn meddyg arall. Cyfeiriodd ni at ysbyty yn Llundain sy'n arbenigo ar bobl iau â dementia. Fe gawson ni apwyntiad ar gyfer mis Ionawr – cytunodd prosiect ymchwil Rhydychen i weld Clive ym mis Rhagfyr.

Yn y cyfamser, roedd yn rhaid i fywyd normal y teulu barhau. Roedd yn rhaid bwydo'r plant a'u danfon i'r ysgol, golchi dillad, siopa a gwneud y gwaith tŷ. Roedd fy meddwl wedi'i rannu yn sawl adran annibynnol ar ei gilydd. Llwyddais hyd yn oed i roi ychydig o amser cynhyrchiol i'r gwaith. Parhaodd Clive i lenwi ei amser, fel yr oedd wedi'i wneud dros y flwyddyn flaenorol. O leiaf doedd dim rhaid iddo chwilio'r papurau newydd lleol a chenedlaethol am swyddi, anfon am ffurflen gais, trio'i llenwi a'i hanfon yn ôl. O'r diwedd roedd wedi cyfaddef iddo'i hun fod hyn y tu hwnt iddo. Trueni na fyddai wedi gwneud hynny'n gynharach. Trueni hefyd nad oedd y Fyddin wedi gwneud ymdrech i ddarganfod pam y cafodd Clive y fath amser trafferthus yn ei 18 mis olaf yn y Fyddin. Byddai bywyd wedi bod yn llawer haws i ni i gyd, ac fe fydden ni wedi gallu mwynhau gymaint mwy ei flynyddoedd olaf gyda ni.

Fe aethon ni i weld OPTIMA (Oxford Project to Investigate Memory and Ageing) am y tro cyntaf ar 15 Rhagfyr 1993. Roedd OPTIMA wedi dechrau yn 1988 – roedd y tîm yn gwahodd pobl â chlefyd Alzheimer a rhai hebddo i gael cyfres o brofion corfforol a gwybyddol, a'i hailadrodd bob chwe mis gyda'r rhai oedd â chlefyd Alzheimer ac unwaith y flwyddyn â'r rhai oedd hebddo. Y bwriad oedd gweld sut roedd y salwch yn datblygu a sut roedd y bobl 'hŷn normal' hefyd yn newid. Yn ffodus i ni, ar ddechrau'r 1990au, roedden nhw hefyd wedi penderfynu recriwtio rhai pobl iau oedd â dementia, a gwahoddwyd Clive i ymuno â nhw. Fe dreulion ni'r diwrnod cyfan gyda'r tîm; cafodd Clive nifer o brofion a sganiau, ac am y tro cyntaf siaradodd rhywun â fi heb fod Clive yn bresennol.

Cyn hynny roedd y ddau ohonon ni bob amser wedi cael ein gweld gyda'n gilydd ac roedd hynny'n rhwystredig iawn i fi. Bydden ni'n mynd i weld y meddygon a fyddai'n gofyn sut oedd pethau, a byddai Clive yn dweud, 'Yn iawn', ac roeddwn i'n methu mynegi fy ofnau a fy rhwystredigaethau o gwbl. Gan fod Clive wedi cael ei wrthod am swyddi gymaint o weithiau, yn enwedig, roeddwn i'n teimlo bod rhaid i fi fod yn gadarnhaol yn ei bresenoldeb.

Tra oedd Clive yn gweld meddygon OPTIMA, fe ges i weld un o'r nyrsys. Am y tro cyntaf cefais gyngor ar yr hyn ddylen ni ei wneud i drefnu'r dyfodol yn union fel roedden ni am i bethau fod – atwrneiaeth (*power of attorney*), ewyllysiau, gwneud ceisiadau am fudd-daliadau a phensiynau. Fe fues i'n llefain gryn dipyn y diwrnod hwnnw hefyd. Er mai prosiect ymchwil yw OPTIMA, mae hefyd yn rhoi llawer o gefnogaeth i'r rhai sy'n cymryd rhan yn y prosiect, a dyna'r union beth oedd ei angen ar Clive a minnau ar y pryd. Roedd hi'n gymaint o ryddhad i allu sôn am fy mhryderon am y dyfodol, a chael y sicrwydd nad oeddwn i ar fy mhen fy hun.

Roedd y niwrolegydd 'dementia cyn-henaint' a welodd Clive wedi gwneud sgan CT o'i ymennydd ym mis Mai. Dangosai'r sgan honno rywfaint bach o grebachu ym meinwe ei ymennydd. Gwnaeth OPTIMA sgan eto ym mis Rhagfyr ac roedd y crebachu'n fwy amlwg. Beth bynnag oedd y broses oedd yn dinistrio ymennydd Clive, roedd yn cynyddu'n gyflym. Gwnaeth OPTIMA sgan SPECT hefyd – mae hyn yn mesur faint o ddŵr ymbelydrol sy'n mynd i'r ymennydd, ac mae'n dangos y cyflenwad gwaed i'r ymennydd. Hyd yn oed i rywun fel fi, heb unrhyw gymhwyster meddygol, roedd hi'n amlwg bod rhannau helaeth o ymennydd Clive yn defnyddio ychydig iawn o ocsigen. Y rhannau hynny oedd yn bennaf gyfrifol am reoli iaith a chofio, ond roedd tyllau mawr yn y llabedau blaen hefyd. Ar ôl gweld canlyniadau'r profion, doeddwn i'n synnu dim bod Clive yn cael gymaint o drafferthion – yn wir, roeddwn yn synnu ei fod yn gwneud cystal.

Diagnosis OPTIMA oedd bod gan Clive ddementia semantig, a hefyd glefyd Alzheimer 'tebygol'. Gyda'r wybodaeth honno fe aethon ni adref a pharatoi i ddathlu'r Nadolig. Daeth fy mam i lawr o Swydd Efrog, a chafodd y pump ohonon ni Nadolig cymharol dawel yn ein cartref. Yna fe aethon ni i aros gyda chwaer Clive am ychydig ddyddiau, a chyfarfod â'i holl dylwyth. Hwn oedd y tro cyntaf i ni gyfarfod â'n teulu estynedig ers cael y diagnosis. O ystyried popeth, roedd yn Nadolig eitha da.

Yn y flwyddyn newydd, aeth y ddau ohonon ni ar wyliau deifio. Roeddwn wedi gwneud tipyn o ymdrech i ddod o hyd i rywle lle byddai'r haul yn tywynnu a'r dŵr yn gynnes, ac fe gawson ni wyliau hyfryd yn Kenya. Roedden ni ar gwch deifio eitha bach ac ar y noson gyntaf gofynnodd y capten i fi beth oedd yn bod ar Clive. Roedd ei gwestiwn yn dipyn o sioc i fi. Er fy mod i wedi bod yn argyhoeddedig ers amser bod rhywbeth o'i le ar Clive, ychydig iawn o bobl oedd wedi cytuno â fi. Roedd deall bod ei deulu wedi sylwi ar y newid ynddo wedi bod yn rhyddhad mawr i fi. Ond hwn oedd y tro cyntaf i ddieithryn sylwi arno. Fe gawson ni amser gwych ar y cwch, er nad oedden ni'n gwmni da i'r bobl eraill arno. Roedd yr haul yn disgleirio, roedd y dŵr yn gynnes ac roedd y deifio yn dda. Gan fy mod wedi trefnu'r daith ar y funud olaf roedden ni'n teithio yn y dosbarth busnes. Ar y daith adref cawson ni ein huwchraddio i'r dosbarth cyntaf a dod adref mewn tipyn o steil. Ar ran gyntaf y daith roeddwn i'n gallu gweld afon Nil oddi tanon ni – llinell droellog yng nghanol y diffeithwch. Roedd cricsyn wedi sleifio i mewn i un o'n bagiau deifio, ac am ychydig nosweithiau ar ôl cyrraedd adref roedden ni'n gallu clywed ei rincian unigryw.

Roedd y cricsyn yn dal i rincian y bore yr aethon ni i gadw apwyntiad Clive yn Ysbyty Cenedlaethol Niwroleg a Niwrolawdriniaeth yn Llundain. Unwaith eto, fe gymerwyd Clive i gael profion a ches i fy holi'n fanwl iawn am bopeth oedd wedi digwydd a oedd wedi ein harwain atyn nhw. Roedd rhai o'r profion yn wahanol, a gan eu bod yn gallu defnyddio sganiau OPTIMA, ni chafodd Clive ragor o'r rheini. Yn hytrach, roedden nhw'n gwneud profion am fathau prinnach o ddementia. Dwi'n deall mai un o'r profion yw trafod diarhebion cyffredin. Petaech chi'n gofyn i berson cyffredin beth yw ystyr 'gwyn y gwêl y frân ei chyw', bydden nhw fwy na thebyg yn sôn am rieni yn esgusodi ymddygiad plentyn. Ond mae pobl â dementia llabed flaen (*frontal-lobe dementia*) yn fwy tebygol o fod yn llai cyffredinol gan sôn am wahanol adar a lliwiau. Ac os rhowch chi sbectol i ryuwn â dementia llabed flaen, fe fydd yn debygol iawn o'i gwisgo, ond bydd pobl normal yn ei rhoi hi'n ôl i chi. Ar ddiwedd y diwrnod, fe gawson ni ddiagnosis o ddementia llabed flaen, a oedd fwy na thebyg yn glefyd Pick.

Roedd hyn cyn dyddiau'r rhyngrwyd, felly fe dreuliais i amser dros yr wythnosau nesaf yn ymchwilio yn llyfrgelloedd Rhydychen sydd, yn ffodus, yn lle delfrydol i ymchwilio. Mae dementia llabed flaen, fel y byddech yn ei ddisgwyl, yn effeithio ar labedau blaen yr ymennydd – y darnau sydd yn union y tu ôl i'r talcen. Dyma ran yr ymennydd sydd wedi'i datblygu fwyaf mewn pobl, ac sy'n rheoli'r 'swyddogaethau rheoli' – y gallu i gynllunio ymlaen llaw, i ragweld canlyniadau eich gweithredoedd ac wedyn i ymddwyn yn briodol. Mae gan bobl sydd â chlefyd Pick annormaledd penodol yn y rhan yma o'r ymennydd, yn ogystal â diffygion yn rhannau'r ymennydd sy'n rheoli siarad ac iaith. Ond roedd y llyfrau'n sôn am sut y gallai diffygion difrifol fod ar y gallu i siarad, ond nid ar sgiliau rhifau. Doedd hyn ddim yn wir am Clive – roedd wedi dechrau cael trafferth gyda rhifau tua'r un adeg ag yr oedd ei gamsillafu wedi dechrau.

Soniai pob llyfr am y 'dechrau araf a llechwraidd' – ac roedd hynny yn sicr yn wir am Clive. Roedd anawsterau siarad a newid mewn personoliaeth hefyd yn gyffredin, ond doedd dim un o'r llyfrau'n barod i roi amserlen debygol i'r salwch. Roedden nhw i gyd yn cytuno ei fod yn gynyddol ac yn angheuol yn y pen draw, ac yn cymryd y gallu i siarad erbyn y diwedd. Fe fues i'n llefain dipyn mwy cyn penderfynu ceisio anghofio'r cyfan a dim ond bwrw iddi i wneud y mwyaf o bob diwrnod. Roedd y meddygon i gyd yn cytuno bod Clive wedi bod yn anffodus. Er bod rhai mathau o ddementia yn gyffredin i rai teuluoedd, doedd dim byd i awgrymu bod hyn yn wir yn achos Clive. Efallai nad hwn oedd yr ymyl arian sydd gan bob cwmwl du, ond roedd yn newyddion tipyn gwell na'r newyddion posibl, yn enwedig i frawd a chwaer Clive, ac i'n plant ni i gyd.

Wrth edrych yn ôl

Mae rhoi diagnosis o ddementia yn anodd iawn. Y cam cyntaf yw penderfynu a yw'r gweithrediadau gwybyddol (*cognitive functions*) wedi'u heffeithio mewn nifer o feysydd – fel darllen, ysgrifennu, cyfrif, cof tymor byr (cofio'r hyn ddywedodd rhywun bum munud yn gynharach) – a bod hon yn broblem barhaus. Y cam nesaf yw diystyru pob achos arall allai fod yn gyfrifol am symptomau tebyg – mae'n bosibl trin rhai ohonyn nhw. Gall y cyflyrau eraill hyn gynnwys iselder (sef diagnosis cyntaf ein meddyg teulu), problemau â'r thyroid, diffyg fitamin B12 a hydroseffalws. Ond mae galluoedd gwybyddol yn amrywio'n helaeth o'r naill i'r llall, sy'n golygu bod cael diagnosis cynnar yn gallu bod yn anodd os nad yw'r nam yn fawr. Gall sganiau CT ac MRI ddangos rhai newidiadau yn ffurfiant yr ymennydd, ond fel arfer dydi'r rhain ddim yn amlwg nes ei bod hi'n hwyr yn y salwch. Gall rhai mathau o ddementia hefyd achosi symptomau corfforol, yn enwedig mewn rheoli symudiadau manwl, ac felly mae'r profion yn cynnwys prawf tapio bysedd. A hyd yn oed ar ôl hyn i gyd, dydi diagnosis o 'ddementia' ddim ond yn ddisgrifiad eang iawn o'r symptomau. Gall nifer o fathau o salwch achosi dementia, ac mae gwahaniaethu rhyngddyn nhw hyd yn oed yn fwy anodd. Gyda Clive, fe gawson ni ddiagnosis o 'ddementia cyn-henaint' – dydi'r cyn-henaint yn golygu dim mwy na bod Clive yn iau na 65 oed pan ddechreuodd y symptomau. Y diagnosis nesaf oedd 'clefyd Alzheimer tebygol gyda dementia semantig', oedd yn dynodi anawsterau gyda'i gof tymor byr a oedd yn gwaethygu gydag amser, a dementia semantig – anhawster deall a defnyddio geiriau. Yna o Lundain daeth y diagnosis 'dementia llabed flaen, a oedd fwy na thebyg yn glefyd Pick' a oedd yn dynodi anawsterau gydag iaith, a hefyd newidiadau mewn cymeriad a cholli swyddogaethau gweithredu. Y diagnosis olaf, a ddaeth o'r post-mortem, oedd 'dementia cortico-waelodol' (*cortico-basal dementia*). Meddygon uchel eu parch a roddodd bob diagnosis. Treuliodd Clive oriau lawer yn cael prawf ar ôl prawf, a dwi'n credu bod yr amrywiaeth barn yn dangos pa mor anodd yw hi i roi diagnosis. Yr unig ffordd o gael diagnosis cywir yw drwy edrych ar feinwe'r ymennydd, ond dydi cymryd biopsi ddim yn dderbyniol oni bai ei fod yn gallu arwain at driniaeth effeithiol.

Yn ffodus does dim pwyntiau ofer 'petai a phetasai' i fi yma. Unwaith roedden ni wedi cael y diagnosis cychwynnol, roedden ni'n ffodus iawn. Derbyniodd prosiect OPTIMA Clive fel claf, ac fe gawson ni gyngor gwerthfawr ganddyn nhw ar sut i ymdopi wrth i'r salwch ddatblygu – fe sonia i ragor am hyn eto yn y llyfr. Cytunodd ein meddyg teulu i'n cais am farn meddyg arall, ac fe gawson ni gyfarfod yn fuan gydag arbenigwr byd-enwog ar ddementia cynnar. Roedd yr ysbyty yn Llundain ar fin dechrau grŵp cymorth i berthnasau rhai a oedd â chlefyd Pick, oedd eto'n ffynhonnell werthfawr iawn o gyngor. Fe gawson ni hefyd gefnogaeth a chyngor rhagorol gan ein meddyg teulu.

Ond dwi'n dal i deimlo'n ddig iawn am sut cawson ni'r diagnosis cyntaf. Dwi'n deall bod y niwrolegydd yn brysur iawn, ac nad oedd yn credu bod ganddo fwy i'w gynnig i ni ar wahân i'r diagnosis, ond fe ddylai o leiaf fod wedi cyfarfod â Clive i ddweud hynny wrtho. Byddai Clive wedi gallu deall y diagnosis yn iawn, er yn ffodus ni fyddai wedi gallu dychmygu'r goblygiadau, a dwi'n meddwl y byddai'r ymgynghorydd wedi bod mewn gwell sefyllfa i wybod pa gymorth oedd ar gael, yn hytrach na'n meddyg teulu. Ddywedodd yr ymgynghorydd ddim un gair am yr Alzheimer's Society, nac esbonio pam yr oedd wedi dod i'w benderfyniad, ac yn sicr roedd heb sôn am unrhyw bosibilrwydd arall ar wahân i 'ddementia cyn-henaint'.

Am gyfnod byr roedd pethau ychydig yn well pan oedd y cyffuriau gwrth-ddementia ar gael ar bresgripsiwn. Ond nawr, gan nad yw pobl yn y cyfnod cynnar yn cael y cyffuriau hyn, mae'r cymhelliant i weld yr ymgynghorydd yn rheolaidd wedi mynd. Y cyngor swyddogol ar wasanaethau i bobl iau â dementia yw y dylai ymgynghorydd penodol fod ym mhob ardal. Cyfeiriwyd Clive at niwrolegydd, ond mae eraill mewn sefyllfaoedd tebyg yn mynd i glinigau seiciatryddion a geriatregwyr. Dylai rhywun fod yn gyfrifol am gysylltu ag arbenigwyr eraill yn ôl yr angen: er enghraifft, therapyddion galwedigaethol, therapyddion lleferydd, nyrsys iechyd meddwl cymunedol, gweithwyr cymdeithasol, ymgynghorwyr geneteg. Mae Rhydychen yn dal i fod heb ymgynghorydd penodol ar gyfer dementia cynnar.

Pennod 4

Delio â'r Diagnosis

Mae'n 5.30 ar fore o hydref – amser annynol o'r dydd, ac mae'n ddiwrnod ofnadwy hefyd. Dwi'n clywed y glaw yn taro'r ffenest, ac mae fy nhrwyn yn dweud wrthyf i ei bod hi'n oer y tu allan i'r gwely. Mae Clive yn codi i fynd i nofio – mae wedi gwneud hyn bob diwrnod rydyn ni wedi bod gartref ers rhyw dair blynedd, gan gynnwys Suliau a gwyliau banc. Mae'r pwll nofio yn agor hyd yn oed ar gyfer 'Boregodwyr' ar ddydd Nadolig. Mae Clive yn gwisgo'r dillad roeddwn i wedi'u rhoi allan iddo neithiwr, yn dweud hwyl ac yn gadael. Dwi'n swatio dan y dillad gwely am awr arall. Dwi ar fin cysgu pan dwi'n clywed sŵn y drws yn agor ac mae Clive yn dod yn ôl. Mae'n tynnu ei ddillad ac yn dod yn ôl i'r gwely – brrrr! Mae'n oer iawn. Mae'n dweud, 'Mae'r beic wedi torri.' Dwi'n ceisio cael rhagor o wybodaeth ond mae'r ddau ohonon ni'n mynd yn rhwystredig. Dyna'r cyfan mae'n gallu ei ddweud wrthyf i – mae'r beic wedi torri, dydi'r beic ddim yn gweithio. Ar ôl i fi godi dwi'n cael cyfle i weld drosof fi fy hun; dydi'r beic ddim yn gweithio oherwydd mae'r olwyn flaen wedi plygu bron yn ei hanner. Dwi'n methu dychmygu sut lwyddodd Clive i wneud hyn heb ei anafu ei hun, ond mae ei anorac yn fwdlyd iawn. Dwi'n rhoi'r beic ar gefn y car, yn gollwng Clive yn y ganolfan ddydd ac yn mynd â'r beic i gael ei drwsio. Mae pobl y siop feiciau'n hen gyfarwydd â 'ngweld i erbyn hyn. Cha i byth wybod sut blygodd olwyn y beic.

Ar ôl yr holl gyffro a rhuthro o gwmpas i gael yr holl wahanol fathau o ddiagnosis, fe aethon ni adref i geisio cael rhyw fath o drefn ar sut roedden ni'n mynd i oroesi'r hyn oedd i ddod. Roedd OPTIMA a'r Ysbyty Cenedlaethol wedi bod yn help mawr, yn ein cynghori ynglŷn â'r budd-daliadau oedd ar gael i Clive, a'r problemau cyfreithiol y gallen ni eu hwynebu, a sut i ddelio â nhw. Eu cyngor oedd:

- gwneud cais am Lwfans Byw i'r Anabl
- y ddau ohonon ni i wneud ewyllys, gan gymryd gofal arbennig i wneud trefniadau i ofalu am Clive a'r plant petai rhywbeth yn digwydd i fi
- sefydlu Atwrneiaeth Barhaus i Clive, fel y gallwn i neu ei frawd benderfynu a llofnodi ar ei ran, yn gyfreithlon
- cysylltu â'r Alzheimer's Society
- cysylltu â'n banc i weld pa help sydd ganddo i'w gynnig
- sefydlu trefn ddyddiol y gall Clive ei dilyn
- cysylltu â chynifer o bobl â phosibl allai ein helpu wrth i salwch Clive ddwysáu.

Fe gawson ni ein cyfeirio at geriatregydd i weld pa gymorth allai fod ar gael. Ond chawson ni fawr o help ganddo. Roedd gan Rydychen adran ardderchog ar gyfer anafiadau i'r pen, i helpu i adfer pobl oedd â phroblemau tebyg i rai Clive, ond ag achosion gwahanol. Ond gan fod salwch Clive yn un cynyddol, doedd adfer ddim yn opsiwn ac roedden nhw'n anfodlon ei ystyried. Gallai'r Tîm Iechyd Meddwl Oedolion gynnig help i bobl â salwch meddwl, ond roedd rheswm corfforol am salwch Clive, felly doedden nhw ddim yn barod i'w ystyried. Roedd rhai gwasanaethau ar gael i'r henoed, ond dim ond 45 oed oedd Clive, ac roedd hi'n amheus a fydden nhw'n ei dderbyn, neu a fyddai'n cytuno i'w gweld. Ond beth bynnag, roedd hi'n amheus a fyddai eu gweithgareddau nhw yn addas i Clive a'i egni diddiwedd.

Yr unig wir gyngor cadarnhaol a ddaeth o'r cyfarfod hwn â'r geriatregwyr oedd ynglŷn â gallu Clive i yrru. Roedd hyn yn glir iawn. Roedd yn rhaid i ni ddweud wrth y DVLA yn Abertawe ac wrth ein cwmni yswiriant. Yn y cyfamser, byddai'n syniad da i ofyn i ysgol yrru leol asesu pa mor ddiogel oedd Clive wrth yrru. Hwyl fawr a phob lwc.

Felly fe aethon ni adref a dechrau rhoi trefn ar bethau. Ysgrifennais i at y DVLA ac at ein cwmni yswiriant a threfnu i Clive fynd i ysgol yrru leol. Yn ei asesiad ysgrifenedig, dywedodd yr hyfforddwr, yn ei farn ef ar hyn o bryd, fod Clive yn dal i fod yn ddiogel i yrru, ond roedd yn argymell asesiad bob chwe mis. Oherwydd hyn, roedd y cwmni yswiriant yn fodlon parhau i'w yswirio. Chlywais i ddim byd gan y DVLA am amser hir.

Fe gawson ni hyd i gyfreithiwr cyfeillgar ac fe wnaethon ni ein hewyllysiau. Llofnododd Clive Atwrneiaeth Arhosol hefyd. Gydag anogaeth OPTIMA, anfonais am ffurflen i wneud cais am Lwfans Byw i'r Anabl, budd-dal a oedd ar gael yr adeg honno i bobl dan 65 oed oedd yn methu gweithio. Cefais y ffurflen a oedd yn nifer o dudalennau o hyd, ac yn gofyn yr un cwestiynau mewn ffordd ychydig yn wahanol bob tro. Roedd y ffurflen yn bennaf i bobl ag anabledd corfforol, ac roedd ei llenwi yn brofiad rhwystredig a gofidus. Roeddwn yn fy nagrau droeon wrth ei llenwi ond roedd yn rhaid i fi ddyfalbarhau, gan fod angen yr arian arnon ni. Anfonais y ffurflen yn ôl ar y dyddiad olaf posibl i gael taliadau wedi'u hôl-ddyddio i'r dyddiad roeddwn wedi gwneud cais amdani. Roedd y canlyniad yn werth yr holl ymdrech – cafodd Clive y budd-dal ar y raddfa uwch.

Roedd ein tŷ yn enwau'r ddau ohonon ni. Cynghorodd y cyfreithiwr i ni ei drosglwyddo i fy enw i yn unig a gan fod Clive yn cytuno, fe wnaethon ni hynny. Roedd y cyfreithiwr yn iawn, arbedodd hynny drafferth yn ddiweddarach. Newidiais hefyd ein cyfrif banc ar y cyd yn ddau gyfrif ar wahân, a threfnu bod uchafswm gwario is o lawer ar gerdyn credyd Clive. Unwaith eto roedd Clive yn cytuno, ac roeddwn wedi cael cyngor gan yr Ysbyty Cenedlaethol i wneud hyn. Roedden nhw wedi adnabod cleifion a oedd â dementia llabed flaen (sef salwch Clive, eu cynnig gorau nhw) a oedd wedi gwario holl gynilion y teulu ar gwch hwylio, neu ar wyliau drud i Awstralia. Gan nad oedden ni'n gallu fforddio hynny roedd yn rhaid i fi wneud rhywbeth. Doeddwn i ddim am i Clive fod heb ddim arian o gwbl –

roedd wedi gweithio'n galed am ei arian ac roedd ganddo'r hawl i'w wario fel y mynnai, ond roedd yn rhaid i fi fod yn ofalus er ei les ef ei hun. Roeddwn i'n tybio mai'r ateb gorau oedd sicrhau swm misol digonol iddo. Roedd hynny'n anodd gan fod cwmni'r cerdyn credyd yn mynnu codi uchafswm ei gredyd bron bob mis ac yn gwrthod trafod ei gerdyn gyda fi, ond eto fe lwyddais. Fel gyda chymaint o bethau eraill, roedd yn rhaid i fi.

Cysylltais â changen leol yr Alzheimer's Society, a daeth gwraig hyfryd iawn i 'ngweld i, Mrs King. Dywedodd Clive un o'r jôcs olaf dwi'n cofio iddo'i dweud, pan ddywedodd ei bod hi'n beth da nad Jo oedd ei henw cyntaf. Jôc a oedd yn nodweddiadol o Clive, ac mae'n rhaid ei fod yn ei dweud hi ers pan oedd e'n bump – mae'n siŵr mai dyna pam roedd yn dal i'w chofio. Ond mae'n debyg nad oedd hyn yn wir, ac felly dechreuodd ein cyfarfod cyntaf â Mrs King yn amau pwy oedd yn sâl – fi neu Clive. Fe roddodd hi fanylion cyswllt dau grŵp o bobl eraill a oedd â phartneriaid â dementia, a llwyddais i fynd i rai o gyfarfodydd y grŵp agosaf. Roedd yr aelodau i gyd o leiaf 20 mlynedd yn hŷn na fi, a gan eu bod yn cyfarfod yn ystod y dydd roedd yn rhaid i fi gael amser i ffwrdd o'r gwaith, a dim ond rhai o'u problemau nhw oedd yn debyg i fy mhroblemau i. Doedd clefyd Alzheimer ddim ar Clive; roedd ei gof heb ddirywio llawer eto; roedd yn cael trafferth siarad, darllen ac ysgrifennu. Y broblem fwyaf oedd sut i lenwi ei amser a defnyddio'r holl egni roedd wedi'i ddefnyddio yn y gorffennol i redeg marathonau a neidio allan o awyrennau. Roedd yn drist gweld rhywun felly nawr yn berson di-waith, amhosibl ei gyflogi ac anabl.

Un o bynciau trafod pennaf y cyfarfodydd hyn a chylchlythyr yr Alzheimer's Society oedd a ddylid dweud wrth yr un â chlefyd Alzheimer am y diagnosis ai peidio. Cofiais am gyfarfod â'r meddyg teulu i drafod y canlyniadau roedd hi wedi eu cael o'r Ysbyty Cenedlaethol. Dywedodd Clive yn bendant wrthi, gan fod y llythyr oedd ganddi yn ei llaw amdano ef, fod hawl ganddo ei ddarllen; mynnodd ei ddarllen, ac roedd am gael copi ohono ar gyfer ei gofnodion. Yn bendant, doedd ganddo ddim problemau iaith yn y cyfarfod hwnnw, ac roedd gweld Clive yn mynnu ei hawliau yn ddigon i godi ofn arnoch. Fe drawodd y ddesg â'i ddwrn, hyd yn oed.

Cafodd gopi o'r llythyr. Roedd hyn yn gwneud i'r Alzheimer's Society ymddangos yn fyd arall gyda'i chleifion bregus, llywaeth.

Roedd yn rhaid i ni esbonio'r sefyllfa wrth y plant. Ar y pryd roedden nhw bron yn bedair a phump oed, ac yn amlwg yn ymwybodol fod pethau rhyfedd iawn yn digwydd o'u cwmpas. Soniais wrth un o nyrsys OPTIMA am hyn, a chynigiodd hi siarad â nhw. Felly, yn gynnar un bore, fe es i a'r plant i'w chyfarfod hi yn swyddfa OPTIMA. Roedd gweddill y staff heb gyrraedd eto, felly dim ond ni oedd yno ac roedd y nyrs wedi dod â *croissants* a sudd gyda hi. Dangosodd hi sganiau o ymennydd Clive a'u cymharu nhw â sganiau ymennydd normal. Roedd ganddi sawl model plastig o ymennydd yr oedd hi'n gallu eu tynnu'n ddarnau a'u hailadeiladu (gyda chryn drafferth). Wedyn tynnodd y plant luniau. Dydw i ddim yn gwybod faint yn hollol roedden nhw'n ei ddeall, nac yn ei gofio, ond fe wnaethon ni ein gorau i esbonio pethau mewn iaith y bydden nhw yn ei deall. Ar ôl hyn cefais gyfarfod dagreuol â phrifathro'r ysgol i esbonio sefyllfa'r teulu.

Prynais ffôn gyda chof ynddo i Clive, a rhoi rhifau'r teulu a ffrindiau ynddo fel y gallai eu ffonio heb orfod cofio'r rhif. Cefais freichled 'medic-alert' iddo gyda rhif ffôn argyfwng arni. Roedd hi'n anodd ei berswadio i'w gwisgo, gan nad oedd Clive yn hoffi gwisgo unrhyw beth fel hynny, ond fe lwyddon ni yn y pen draw. Fesul un, fe gysyllton ni â'n holl ffrindiau a chyn-gyd-weithwyr Clive. Cadwodd rhai mewn cysylltiad gan fod o gymorth mawr i ni; llithrodd rhai yn dawel allan o'n bywydau a ffoniodd un neu ddau i ddweud gymaint yr oedden nhw'n cydymdeimlo â ni, ond roedden nhw'n methu dioddef gweld y Clive gwahanol.

O dipyn i beth fe lwyddon ni i gael trefn ddyddiol a fyddai'n cadw Clive yn heini ac yn weithgar, ac mor annibynnol â phosibl. Yn ffodus roedden ni wedi byw yn ein tŷ ers rhai blynyddoedd, felly roedd Clive yn gyfarwydd â'r tŷ hwnnw ac â'r ardal o'i gwmpas. A gan mai beicio oedd ei hoff ffordd o deithio, roedd hi'n debygol y byddai'n gallu parhau i deithio'n annibynnol am gyfnod hirach o lawer na phetai'n dibynnu ar y car. Prif ddiben trefn yw eich bod yn gallu ei dilyn heb orfod meddwl amdani. Mae penderfynu'n waith caled, ac yn anodd iawn i bobl â dementia. Mae'r drefn yn lleihau'r angen i benderfynu, ond hefyd yn caniatáu i bobl â dementia allu rheoli rywfaint ar eu bywydau eu hunain.

Sylweddolais pa mor bwysig oedd cael trefn a bod yn gyfarwydd â phethau rai blynyddoedd yn ôl, ar ôl symud tŷ ar ôl byw yn yr un lle am bum mlynedd. Byddai'r Fyddin yn ein symud ni bron bob blwyddyn, felly fe ddylwn fod yn gyfarwydd â hynny, ond eto roedd y symud yn dal i aflonyddu arna i. Roedd y switshis golau ar ochr anghywir y drws; y grisiau'n troi i gyfeiriad gwahanol; roedd hi'n cymryd amser i osod y peiriant golchi a'r peiriant golchi llestri, felly roeddwn i'n colli'r arfer o gael diwrnod golchi; roedd holl gypyrddau'r gegin mewn llefydd gwahanol – mae'n siŵr eich bod chi'n deall. Fe gymerodd hi rai misoedd i fi addasu i'r holl newidiadau, ac fe wnaeth hyn i mi sylweddoli pa mor anodd y byddai hi wedi bod i Clive.

Fel aelod o glwb nofio'r 'Boregodwyr' yn Abingdon, byddai Clive yn codi am 5.30 bob bore (gan gynnwys dydd Sul!), yn beicio i'r pwll nofio, yn nofio am awr cyn beicio adref, yn cael bath ac yn paratoi ei frecwast, sef naill ai brecwast traddodiadol o wy, cig moch ac ati neu uwd a chiper gyda ffrwyth a choffi. Wrth fwyta'i frecwast, ac wedyn gyda'i goffi, byddai'n darllen *The Spectator*. Roedd wedi tanysgrifio i hwn ers degawdau; byddai'n ei ddarllen yn gyflym ac wedyn yn ei roi i fi i'w ddarllen fel y gallen ni drafod yr erthyglau. Erbyn iddo gael ei ddiagnosis roedd hi'n cymryd dyddiau iddo'i ddarllen; byddai'n eistedd gyda'i fys yn cadw'i le gyda golwg ddryslyd, ofidus, ar ei wyneb, ond eto parhaodd i dalu'r tanysgrifiad.

Roedd ganddo weithgaredd penodol bob dydd. Ar ddydd Llun byddai'n mynd i Headway: grŵp roedd gwirfoddolwyr yn ei redeg i bobl a oedd wedi cael niweidiau i'w pen. Ar ddydd Mawrth byddai'n beicio i Rydychen i weld aciwbigwr. Ar ddydd Mercher byddai'n mynd i Glwb Alzheimer Abingdon, ac ar ddydd Iau i grŵp arall oedd yn cael ei drefnu gan wirfoddolwyr i grŵp cymysg o bobl ag anableddau corfforol a meddyliol. Ar ddydd Gwener byddwn i a Clive yn mynd am dro hir. Dydd Sadwrn oedd y diwrnod siopa cyn mynd i'r sinema a chael pitsa gyda'r plant, a dydd Sul oedd y diwrnod i fynd allan gyda'r teulu.

Grŵp Alzheimer Abingdon oedd yr unig grŵp penodol i bobl â dementia, a Clive oedd y person ieuangaf erioed i fynd iddo; roedd tua'r un oed â'r trefnydd a'r gwirfoddolwyr. Roedden ni i gyd braidd yn amheus sut byddai Clive yn teimlo am hyn ond roedd y staff yn arbennig o dda. Cafodd ei dderbyn yn un ohonyn nhw, a bydden nhw'n trio meddwl am waith syml iddo'i wneud. Disgrifiad Clive ohono'i hun oedd 'hanner dyn, hanner bisged' a byddai'n dweud, 'efallai nad ydw i'n glyfar iawn, ond dwi'n gallu codi pwysau trwm'. Dwi'n credu iddo dreulio llawer o'i amser yn symud cadeiriau o gwmpas yr ystafell. Ar ôl i Clive ymuno â nhw, dechreuodd y grŵp gael gwersi ioga, ac roedd yr athro'n un da am feddwl am ymarferion roedd pawb yn gallu'u gwneud. Un o'r ymarferion oedd codi a gostwng eu traed tra oedden nhw'n eistedd. Byddai'r aelodau mwy bregus yn codi eu traed ychydig fodfeddi oddi ar y llawr ac yn eu gostwng yn araf deg, ond byddai Clive yn stampio'r llawr â'i draed mor gyflym ag y gallai. Yn ddiweddar, siaradais â'r staff oedd wedi gweithio gydag ef, ac fe sylweddolais gymaint o her roedd Clive wedi bod iddyn nhw, a pha mor anodd oedd gweithio gyda rhywun yr un oed â nhw, yn hytrach na rhywun o genhedlaeth eu rhieni. Gan fod y ddwy ganolfan ddydd arall yr âi Clive iddyn nhw wedi eu hanelu at bobl o'r un oed ag ef, roedd fel petai'n llawer mwy bodlon ynddyn nhw.

Roedd ein plant newydd ddechrau yn yr ysgol gynradd, ac yn ffodus roedd digon o weithgareddau o fewn cyrraedd y gallen ni i gyd gymryd rhan ynddyn nhw. Byddwn i wastad yn dewis rhywle roedd yn rhaid i ni yrru yno gan fod hynny'n ei gwneud hi'n haws i fi gadw pawb gyda'i gilydd. Pan fydden ni yn y parc neu rywle agored, byddwn i'n teimlo fel iâr yn cadw llygad ar ei chywion. Fe aethon ni i barciau â siglenni, ar drenau stêm, i'r sw, i erddi ac i amgueddfeydd. Mae gardd goed hyfryd yn Rhydychen ac roedd honno'n hoff le i gael picnic yn yr haf. Pan fyddai'r tywydd yn wael bydden ni'n mynd i Amgueddfa Pitt Rivers i edmygu'r pennau crebachlyd a'r polion totem. Roedd Clive yn hoffi'r trenau stêm yn arbennig ac felly fe fydden ni'n mynd yn aml i Didcot neu i Quainton. Mae'n bosibl fod y trenau stêm wedi dechrau diflannu pan oedd yn fachgen bach, ac mai hynny oedd y rheswm dros ei ddiddordeb. Roedd melin wynt Brill hefyd yn un o'i hoff fannau.

Dwi wedi cyfarfod â nifer o bobl mewn cynadleddau a sgyrsiau sy'n dweud, mae'n rhaid ei bod hi'n anodd gofalu am rywun â dementia a dau o blant bach, ond dwi'n credu, mewn gwirionedd, bod oed y plant yn ei gwneud hi'n haws. Fe allen ni wneud pethau arferol teuluol a gallai Clive eu gwneud nhw hefyd. Doedd methu darllen ddim yn rhwystr iddo, gan mai dim ond newydd ddechrau dysgu darllen oedd y plant. Fe allai chwarae'r holl gemau cwrso roedd y plant yn eu mwynhau, ac fe ddysgon ni'n fuan y gallen ni i gyd daflu ffrisbi, ond doedd yr un ohonon ni'n gallu ei ddal.

Dwi'n cydymdeimlo'n fawr â rhai sydd â chymar â dementia a phlant yn eu harddegau. Does gen i ddim syniad sut maen nhw'n ymdopi. Mae'n siŵr i chi sylwi fod yr holl weithgareddau hyn yn costio arian ac nad oedd 'gostyngiad anabledd' i Clive yn yr un o'r llefydd hyn. Doedd ei anabledd ddim yn un amlwg a doeddwn i ddim am wastraffu amser yn dadlau. Roedden ni'n hynod ffodus fod rhywfaint o arian ymddiswyddo Clive o'r Fyddin gennyn ni o hyd, yn ogystal â fy nghynilion i o fy nwy flynedd yn Dubai. Unwaith eto, dwi'n cydymdeimlo â'r rhai sy'n ymdopi â chymar â dementia a byw ar incwm cyfyngedig iawn – does gen i ddim syniad sut maen nhw'n dod i ben, chwaith.

Ychydig wythnosau ar ôl ymarferiad trychinebus olaf Clive gyda'r Fyddin Diriogaethol, fe ges i alwad ffôn gan ei bennaeth. Sylwch ei fod wedi fy ffonio i ac nid Clive. A oedd Clive yn mynd i ymddiswyddo o'r Fyddin Diriogaethol? Fe feddyliais i am wasanaeth oes Clive, ac fe ddywedais i na, doeddwn i ddim yn meddwl ei fod yn mynd i ymddiswyddo. Roeddwn wedi gobeithio y byddai'r Fyddin wedi gorfod cydnabod salwch Clive – wedi'r cyfan, roedd hi'n llai na blwyddyn ers iddo golli ei waith. Ychydig ddyddiau'n ddiweddarach cyrhaeddodd llythyr safonol amhersonol yn diolch i Clive am ei wasanaeth. Wnes i ddim clywed dim byd ganddyn nhw wedyn tan yn ddiweddarach o lawer. Roedd Clive wastad wedi dweud wrthyf i fod y Fyddin yn gofalu am ei phobl. Wfft i hynny, meddyliais yn fy ffordd sinigaidd, gan fwrw iddi gydag anghenion byw o ddydd i ddydd.

Roedd un o gyd-weithwyr Clive wedi gadael y Fyddin tua'r un amser ag ef ac yn fuan iawn wedyn cafodd ddiagnosis o ganser y brostad a oedd yn ffyrnig iawn. Cysylltodd ei wraig â'r Lleng Brydeinig

Frenhinol a chafodd gyngor i wneud cais am bensiwn uwch oherwydd salwch ei gŵr. Gan fod y ddau achos fel petaen nhw'n debyg iawn, fe ysgrifennais innau hefyd at y Lleng Brydeinig Frenhinol. Cefais innau anogaeth ganddyn nhw i wneud cais am yr un pensiwn uwch, cyngor ar sut i gael y ffurflenni cywir a help i'w llenwi – erbyn hyn roedd unrhyw waith papur ychwanegol yn drech na fi. Fe ges i ateb bron ar unwaith, yn gwrthod y pensiwn. Fe fyddwn i wedi rhoi'r gorau iddi, ond eto gydag anogaeth y Lleng, fe ysgrifennais at fy Aelod Seneddol i ofyn am ei help ac am gael ei gyfarfod. Fe aethon ni i'w weld ar ddiwrnod braf o haf – roedd yn eistedd wrth ei ddesg ym mhen pellaf neuadd gymunedol a cherddodd Clive a minnau tuag ato ar draws yr ystafell ac eistedd o'i flaen. Eglurais y sefyllfa wrtho. Edrychodd ar Clive a gofynnodd faint oedd ei oed. Oedodd Clive ac yna troi ata i am help, cyn dyfalu – '45'. 'Na,' meddwn i, 'rwyt ti'n 48.' Fe edrychais ar yr AS a oedd yn welw ac wedi cael ysgytiad. Mae'n rhaid ei fod ef tua'r un oed â Clive. Addawodd wneud yr hyn a allai, ac fe adawon ni.

Wedyn gofynnwyd i ni fynd am asesiad yn ysbyty'r Fyddin yn Woolwich. Trefnais rywun i ofalu am y plant ac i ffwrdd â ni. Roedd hi'n ddiwrnod clir hyfryd o hydref ac fe aethon ni i Lundain ar fws, croesi'r ddinas ar y trên tanddaearol ac allan i Woolwich ar y trên. Roedd hi'n daith hir, tua thair neu bedair awr i gyd. Cadfridog oedd yn cadeirio'r bwrdd asesu. Ar ôl gwneud rhai profion ar Clive, trodd y cadfridog ata i ac esbonio bod rhyfel wedi bod a bod Clive yn ddim ond un o'r dioddefwyr. Dyna'r agosaf y daeth Clive at gael ymddiheuriad. Daethon ni'n ôl i Lundain ar gwch ar yr afon – roeddwn i braidd yn siomedig nad oedden ni wedi gallu trefnu taith gyda cheffyl a choets, yna bydden ni wedi defnyddio pob math o drafnidiaeth. Rai wythnosau wedyn dyfarnwyd pensiwn priodol i Clive – yn sylweddol fwy na'r pensiwn sylfaenol roedd wedi bod yn ei gael. Cafodd ei ôl-ddyddio i'r dyddiad yr oedden ni wedi gwneud cais amdano, ond nid i'r dyddiad pan adawodd Clive y Fyddin. Roedd y Lleng am i fi ymladd i'w ôl-ddyddio i'r dyddiad hwnnw, ond roeddwn i wedi cael digon. Roedd hi'n ddwy flynedd bellach ers ei ddiswyddo. Roedd Clive yn dirywio'n eitha cyflym ac roeddwn i am dreulio'r amser oedd ar ôl gennyn ni yn mwynhau ein hamser gyda'n gilydd, nid yn ysgrifennu llythyron ac yn llenwi ffurflenni.

Wrth edrych yn ôl

Fe gawson ni gyngor da, ac o'i ddilyn, roedd yn werth y drafferth. Caniataodd yr atwrneiaeth barhaus i frawd Clive a minnau reoli materion ariannol a chyfreithiol Clive pan nad oedd yn gallu gwneud hynny. Roedd cael yr atwrneiaeth honno'n broses gwbl ddidrafferth; ond roedd ei chofrestru fel y gallen ni ei defnyddio yn ofnadwy, oherwydd bod hyn yn golygu ein bod yn gorfod cydnabod yn ffurfiol gymaint roedd Clive wedi dirywio. Ond pe na bai'r atwrneiaeth gennyn ni, byddai'r dewis arall (y llys gwarchod) wedi bod yn llawer mwy trawmatig a chostus. Fi oedd teulu agosaf Clive, felly gen i oedd yr hawl i benderfynu ar ei ofal meddygol. Yn 2007, daeth ei atwrneiaeth arhosol yn lle ei atwrneiaeth barhaus. Mae hwn yn rhoi hawl i bobl sydd wedi'u henwi reoli materion cyfreithiol, ariannol a meddygol rhywun nad yw bellach yn abl i wneud hynny.

Mae'r budd-dal a gafodd Clive – Lwfans Byw i'r Anabl – wedi dod i ben; y Taliad Annibyniaeth Bersonol sydd wedi dod yn ei le. Er bod y ffurflen a lenwais i ar gyfer pobl ag anabledd corfforol yn bennaf, cafodd Clive y budd-dal er iddo barhau i fod yn ffit ac yn heini yn gorfforol tan yn ddiweddar iawn yn ei salwch, felly mae'r awdurdodau yn cydnabod dementia. Y budd-dal cyfatebol ar gyfer pobl sydd o oed pensiwn y wladwriaeth yw Lwfans Gweini.

Fe wnes i barhau i weithio, ond dim ond oherwydd bod fy nghyflogwr yn cydymdeimlo â'n sefyllfa, a 'mod i'n gweithio'n rhan-amser. Os oes raid i chi roi'r gorau i weithio i ofalu am gymar sydd â dementia, gallwch hawlio Lwfans Gofalwr.

Mae budd-daliadau'n newid. Yr unig gyngor y galla i ei roi mewn gwirionedd i rywun sydd wedi cael diagnosis o ddementia, ei ffrind neu ei gymar, yw chwiliwch am yr wybodaeth ddiweddaraf a'i dilyn. Dydi gohirio'r gwaith ddim yn ei wneud yn haws, ac fe fydd yn effeithio ar yr arian y byddwch yn ei gael, gan nad yw ôl-ddyddio budd-daliadau'n bosibl.

Byddai'n dda gen i petawn i wedi mynd ar ôl y Fyddin yn gynharach, ond roeddwn i wirioneddol yn credu y byddai Clive yn cael cyngor da. Roeddwn yn ffodus 'mod i, yn y diwedd, wedi llwyddo i gael y pensiwn gwell y dylai Clive fod wedi'i gael o'r dechrau.

Dwi'n cyfarfod â chymaint o bobl mewn cynadleddau, neu sy'n ffonio llinell gymorth, ac un o'r pethau cyntaf maen nhw'n sôn amdano yw diswyddo. Fy nghyngor i yw peidio â derbyn 'Na' fel ateb a mynd at arbenigwyr (undeb llafur efallai, Cyngor Ar Bopeth, neu yn fy achos i, y Lleng Brydeinig Frenhinol) a dilyn eu cyngor.

Os ydych chi, neu rywun sy'n agos atoch chi, yn meddwl eich bod yng nghyfnod cynnar dementia, yn gyntaf, peidiwch ag anobeithio. Mae sawl salwch arall y mae'n bosibl eu trin sy'n achosi symptomau tebyg, ac mae dementia yn anghyffredin iawn mewn pobl o dan 65 oed (67 o bob 100,000). Cwynwch a chwynwch nes byddwch yn cael diagnosis sy'n eich bodloni, ac os ydych mewn gwaith, peidiwch ag ymddiswyddo na derbyn cael eich diswyddo.

Pennod 5

Ymdopi â Dementia

'Clive, eistedda.' Dwi yn y gegin yn paratoi swper. Moron a phupur amrwd i ni i gyd. Bysedd pysgod a sglodion i'r plant, sy'n gwylio'r teledu yn yr ystafell fyw. Fe gawn ni stir-fry ychydig yn hwyrach. Mae'n waith caled, a dwi ddim yn hapus 'mod i'n gorfod coginio dau bryd bob dydd, ond dydi Clive na fi ddim am fyw ar fysedd pysgod a dinosoriaid twrci, a wnaiff y plant ddim bwyta fawr ddim byd arall. Felly dwi'n paratoi dau bryd bob nos ac mae pawb arall yn weddol hapus. Mae Clive yn union y tu ôl i fi.

'Iawn,' medd Clive yn siriol, ond mae'n aros yn ei unfan. Mae ei salwch yn gwaethygu ac mae'n methu deall llawer o'r hyn dwi'n ei ddweud wrtho nawr. Mae Clive hefyd yn dda iawn am anwybyddu'r hyn nad yw am ei glywed. Dwi'n cerdded i mewn i'r ystafell fyw i nôl dysglau ar gyfer y llysiau. Mae Clive yn fy nilyn, ac yna'n fy nilyn i'n ôl i'r gegin. Dwi'n mynd yn ôl at y sinc ac yn dechrau torri moron. Mae Clive yn hofran rhyw 18 modfedd i ffwrdd. 'Beth am fynd i eistedd gyda'r plant?' dwi'n awgrymu. 'Iawn,' medd Clive gan wenu, ac aros lle mae. Dwi'n cerdded o'i gwmpas i gynnau'r ffwrn, ac yna'n mynd allan i'r garej i nôl y sglodion a'r bysedd pysgod o'r rhewgell. Bob man dwi'n mynd mae Clive rhyw 18 modfedd y tu ôl i fi. Mae hyn yn rhywbeth newydd. Dwi'n meddwl tybed beth sydd o'i le, ac mae'r cysgod cyson yn dechrau mynd yn niwsans. Mae ein cegin ni'n eitha bach ac mae Clive yn ddyn nerthol. Dwi'n rhoi dysglaid o ffyn moron yn ei law ac yn gofyn iddo fynd â nhw at y plant. Beth am aros gyda nhw i'w bwyta? 'Iawn,' medd Clive, gan roi'r ddysgl i lawr a fy ngwylio i. Dwi'n galw ar un o'r plant i ddod i nôl y moron – mae Rachel yn dod i mewn, ond dydi Clive ddim yn ei dilyn fel roeddwn i wedi'i obeithio. Yn hytrach, mae'n dechrau bwyta'r llysiau dwi wedi'u paratoi ar gyfer y stir-fry. Dwi'n rhoi'r bysedd pysgod a'r sglodion yn y ffwrn. Mae Clive yn rhy agos i fi fynd at y ffwrn yn hawdd; dydi Clive ddim yn sylwi ar hyn, ond dwi'n llwyddo. 'Bydd y newyddion ar y teledu mewn munud,' meddaf i wrtho. Mae Clive wrth ei fodd yn gwylio'r newyddion. 'Iawn,' dywed, heb symud. Mae'n amlwg bod fy ngwylio i yn paratoi swper yn fwy diddorol na dim byd arall ar hyn o bryd.

Dwi'n cerdded o'i gwmpas at y tegell, ac yna o'i gwmpas at y sinc, ac yn ôl i roi plwg y tegell i mewn. Fe af i mewn i'r ystafell fyw i nôl y tebot a'r mygiau. Yn ôl i'r gegin i wneud y te. Drwy gydol hyn i gyd, dydi Clive ddim mwy na 18 modfedd oddi wrthyf i. Y te'n barod – dwi'n ei arllwys a rhoi'r mŵg yn ei law. 'Eistedda i wylio'r newyddion.' 'Iawn,' meddai dan wenu a rhoi'r mŵg i lawr ac aros yn yr un lle. Mae bwyd y plant yn barod a dwi'n mynd at y ffwrn. Mae Clive yn fy nilyn. Dwi'n tynnu'r ddysgl boeth allan ac yn troi i gau'r drws. Mae Clive yn rhy agos a dwi'n poeni y bydd yn ei losgi ei hun ar y ddysgl boeth. 'Clive, eistedda', ac mae ychydig o fin ar fy llais. 'Iawn.' Ond dydi Clive ddim yn symud modfedd. Dwi'n mynd o'i gwmpas i fynd at y platiau a rhoi'r bwyd arnyn nhw, ac yna o'i gwmpas eto at y sinc. Dwi'n mynd â'r bwyd at y bwrdd a daw'r plant i eistedd. Mae Clive yn fy nilyn. Dwi'n mynd at y sinc ac yn rhedeg y dŵr poeth i ddechrau golchi llestri. Mae Clive hyd yn oed yn nes nawr – dwi'n teimlo ei anadl ar fy ngwar. Mae hyn wedi mynd yn ormod i fi nawr. 'Clive, eistedda.' 'Iawn.'

'Clive, *plis* wnei di fynd i wylio'r teledu?' Mae'r *plis* yn dangos fy mod yn fyr fy amynedd. Mae Clive wedi fy nghau mewn cornel. 'Iawn.' Dwi am nôl fy mwyd i ac eistedd, ond mae Clive yn y ffordd. Dwi'n defnyddio'r llais dwi'n ei ddefnyddio i stopio'r plant rhag rhedeg allan i'r ffordd fawr. 'Clive, eistedda.' Mae'r olwg ar ei wyneb yn newid. Dydi Clive ddim yn gwenu nac yn dweud 'Iawn'. Yn hytrach mae'n dod yn nes ata i ac yn fy nharo'n galed iawn yn fy asennau, dim ond unwaith. Yna mae'n troi ac yn cerdded allan o'r tŷ. Mae allan am tua awr, a phan ddaw'n ôl mae'n eistedd i gael ei swper ac i wylio'r teledu fel pe na bai dim byd wedi digwydd.

Efallai ei fod wedi anghofio. Ond dwi wedi cael rhybudd na wna i byth ei anghofio.

Gyda'r diagnosis gorau posibl, y rhan fwyaf o'r pethau cyfreithiol hanfodol wedi'u gwneud, a threfn pob dydd Clive wedi'i sefydlu, setlodd y plant a finnau i'n trefn fach dawel ni ein hunain. Byddai OPTIMA yn gweld Clive bob blwyddyn i weld sut oedd pethau, a chwe mis ar ôl pob ymweliad fe fydden nhw'n fy ffonio i gael adroddiad gen i.

Ar y dechrau, roedd Clive yn dal i allu gyrru, ac fe allai ddeall yn weddol bron popeth y byddwn i'n ei ddweud wrtho. Roeddwn i'n gweithio'n rhan-amser; tri diwrnod yr wythnos i ddechrau, ond yna'n lleihau'n raddol nifer fy oriau wrth i mi orfod treulio mwy o amser gyda Clive a'r plant.

Byddwn yn cael y plant yn barod i fynd i'r ysgol, i ddechrau, ac yna'n mynd i'r gwaith, gan adael i Clive fynd â nhw i'r ysgol ar adeg fwy rhesymol o'r dydd. Doedd yr ysgol ddim ond rhyw filltir i ffwrdd ond ar hyd ffordd wledig gul a oedd yn anaddas i gerdded ar ei hyd, felly roedd Clive yn gyrru'r plant i'r ysgol. Roedd Clive wedi bod yn berson prydlon iawn erioed. Fe gyrhaeddon ni sawl parti yn union am 7.30, os mai dyna oedd yr amser ar y gwahoddiad, a'r un oedd wedi ein gwahodd yn y gawod. Fe gymerodd hi dipyn o amser i fi ei argyhoeddi efallai fod gwahoddiad gan y Fyddin i fod yn rhywle am 7:30 yn golygu 7:29 a 59 eiliad, ond allan yn y byd go iawn fe allai gwahoddiad am 7:30 olygu 8:00 neu hyd yn oed 8:30. Wrth i'w allu i ddweud yr amser bylu, fe ddaeth yn fwy penderfynol o fod yn brydlon. Yn y diwedd dywedodd cymydog wrthyf i fod Clive yn gadael y tŷ yn y bore yn syth ar ôl i fi adael, ac wedyn cwynodd yr ysgol fod y plant yn cael eu gollwng yno â'r gatiau wedi'u cloi. Felly newidiais fy oriau gwaith a mynd i'r gwaith heibio'r ysgol awr yn hwyrach. Roedd yn amhosibl dweud wrth Clive y dylai adael y tŷ yn hwyrach, neu na ddylai adael plant pedair a phum mlwydd oed ar eu pen eu hunain am 45 munud nes i'r ysgol agor. Byddai Clive yn dal i nôl y plant o'r ysgol, ac fe fydden nhw'n gwylio'r teledu neu'n chwarae yn yr ardd nes byddwn i'n cyrraedd adref ac yn rhoi te iddyn nhw.

Yna roedd hi'n amser cael bath, darllen stori a mynd i'r gwely, ac ar ôl hynny fe fyddwn yn gwneud swper i fi a Clive, ac yna, o'r diwedd, fe fyddai'n amser cael jin a thonig.

Efallai ei bod yn ymddangos yn afresymol, yn wael o ran cysylltiadau teuluol, ac i ddweud y gwir, braidd yn ddwl ein bod ni'n bwyta ar wahân i'r plant. Roedd hyn yn sicr yn dipyn o dreth arna i, ond roedd y trefniant yn gweithio i ni. Dechreuodd yr arferiad pan oedd y plant yn fach: roedden ni wedi bwyta'n hwyr erioed, a doedden ni ddim yn hoff iawn o gael ein prif bryd am 6 o'r gloch y nos. Roedden ni hefyd yn hoffi bwyd sbeislyd, a doedd y plant ddim yn ei hoffi. Roedd yn arbed llawer o ddadlau hefyd wrth i Clive fynd yn fwy pendant ei ffordd am 'arferion bwyta cywir', ac roedd yn gwrthod derbyn nad oedd plentyn pedair blwydd oed yn debygol o eistedd yn dawel a defnyddio cyllell a fforc yn iawn. Felly roedd cael prydau bwyd ar wahân gyda'r nos yn gweithio'n iawn i ni.

Roedd Clive wedi dilyn y newyddion a materion cyfoes erioed, gan ei ystyried yn rhan o'i waith, ond erbyn hyn roedd yn obsesiwn ganddo. Newyddion 6, newyddion 7, newyddion 9, newyddion 10 a newyddion 10.30. Diolch byth nad oedd y sianel newyddion 24 awr ar gael bryd hynny, neu fyddai neb arall wedi cael cyfle i wylio'r teledu o gwbl.

Roedd Clive am barhau i ysgrifennu, felly fe gadwai ddyddiadur er mwyn i fi ei ddarllen ar ôl dod adref o'r gwaith, i gael gwybod beth roedd wedi bod yn ei wneud yn ystod y dydd. Roedd yn rhaid i fi ymladd yn galed i atal y dagrau pan fyddwn yn ei ddarllen gyda Clive yno wrth fy ochr. Roedd yr iaith yn fflat a difywyd – yn gyntaf fe wnes i..., ac yna fe wnes i..., ac yna fe es i..., ac yn fe wnes i... Roedd llawer o groesi allan, lle byddai'n trio dair neu bedair gwaith i gael y gair cywir, ac roedd yn frith o gamsillafu roedd heb sylwi arno. Roedd hyn yn torri fy nghalon, ond o leiaf roedd yn ffordd arall o gyfathrebu â Clive. Ar ôl rhai misoedd fe roddodd y gorau i'r dyddiadur, gan fod ysgrifennu'n rhy anodd iddo.

Fel dwi wedi'i ddweud eisoes, roeddwn i wedi rhoi rhifau ffôn ei deulu a'i ffrindiau, a fy rhif innau yn y gwaith, ar ffôn Clive. Roedd y ffôn yn un digon cyffredin gyda bwlch bach nesaf at bob botwm i

The hole in the wall at the Midland bank
was not operating, so I went to
Nat West. I put my card in but
It did not give my any mony. By that
time the bank was open, so
I told one of the staff what had happened.
Then I went to Midland and told them
They issued me with another card
and then I used it. I have memorised
the number. I got £50 and I then
spent some of that at Pedal Power
It cost my about a fiver.
Then I got on my bike and went home
at home, I did some hovering

I would now like to tell you what I
did today, Friday. When I
got up the first thing I did was to get on
my bike and go swimming. I did my
normal 20 lengthes, and then got
on my bike and went home. Then Michael

Tudalen o ddyddiadur Clive

roi enw'r un roeddech chi yn ei ffonio. Defnyddiodd Clive hwn am gyfnod hir, ond fe ddaeth amser pan oedd yn methu darllen yr enw ac wedyn yn methu ffonio neb ar ei ben ei hun. Chwiliais ym mhob man am ffôn arall gyda mwy o le nesaf at y botymau, fel y gallwn i roi llun yn lle'r enw, ond methais i ddod o hyd i un. Fe ddywedais i wrth berthnasau Clive, fel y gallen nhw ddechrau ei ffonio e, ond wrth gwrs doedd hynny ddim yr un peth o gwbl. Mae'n drueni, gan ei fod yn syniad mor syml, ac mae'n rhaid bod pobl eraill yn yr un sefyllfa â Clive a fyddai wedi elwa o gael ffôn tebyg.

Un camgymeriad wnes i gyda'r ffôn oedd rhoi'r rhif 999 ar un o'r botymau. Pan wnes i hynny, roeddwn i'n ymwybodol iawn bod Clive yn aml yn y tŷ ar ei ben ei hun gyda'r plant, ac roeddwn i'n poeni y byddai rhywun yn cael damwain. Roedd hyn yn gamgymeriad gan ei fod yn golygu bod botwm ar y ffôn na ddylai neb ei ddefnyddio, ac roeddwn yn disgwyl llawer gormod gan Clive i ddeall hynny. Fe ddylwn i fod wedi dileu'r rhif, fel y byddai Clive bob amser yn cysylltu â ffrind pa fotwm bynnag y byddai'n ei bwyso, ond wnes i byth ei newid. Roedd hwn yn un peth arall na ddaeth i frig y rhestr, ac fe wnaeth hynny i fi deimlo'n euog.

Roeddwn yn ymwybodol iawn fod gadael Clive a'r plant ar eu pen eu hunain yn y tŷ yn rhywbeth peryglus i'w wneud. Doeddwn i ddim yn poeni y byddai Clive yn gwneud niwed iddyn nhw, ond petai argyfwng yn codi, roeddwn yn poeni na fyddai neb yn ymateb yn briodol. Ar wahân i drychinebau mawr fel y tŷ yn mynd ar dân, neu'r to yn chwythu oddi ar y tŷ mewn storm, gallwn ddychmygu rhywun yn syrthio i lawr y grisiau, neu'n tynnu sosban o ddŵr berwedig ar eu pennau, neu'n eistedd yn y tywyllwch oherwydd bod ffiws wedi chwythu, neu... Gallwch ddychmygu pob math o bethau annifyr yng nghanol nos. Cysurais fy hun gyda'r wybodaeth nad oedd neb yn ysmygu, fod gan y tŷ wres canolog ac nid tân agored, ac mai peth prin iawn oedd i ffiws chwythu, a byddai dweud wrth Clive nad oeddwn yn meddwl y gallai ofalu am y plant wedi bod yn ergyd galed i'w hunanhyder. Gwnes yn siŵr bod y plant yn gwybod sut i ddefnyddio'r ffôn i alw am help, ac roedden ni wedi trafod (pan oedd Clive allan o'r tŷ) pryd y dylen nhw fy ffonio i, pryd y dylen nhw ffonio 999, a phryd y dylen nhw fynd at y cymdogion. Fe driais i drefnu pethau fel nad oedd y tri ohonyn nhw ar eu pennau eu hunain yn y tŷ am fwy nag awr ar y tro. Roeddwn i'n methu trefnu bod yno drwy'r amser heb roi'r gorau i weithio. Prif sylw'r cyfnod hwnnw yn ein bywydau oedd pwyso a mesur y peryglon yn erbyn y bendithion, a dwi'n credu i fi gael y cydbwysedd yn iawn.

Wrth gwrs, roedd hyn wastad yn ofid yng nghefn fy meddwl pan oeddwn yn y gwaith ac er na ches i'r un alwad hunllefus, fe ges i sawl galwad gan Clive, neu gan un o'r canolfannau dydd y byddai'n mynd iddyn nhw, neu gan rywun oedd â chysylltiad â Clive.

Yn ddiweddarach, dywedodd un o'r merched oedd yn gweithio gyda fi y byddwn yn mynd yn wyn fel y galchen bob tro fyddai'r ffôn yn canu, sy'n dangos, dwi'n credu, faint y pwysau oedd arna i. Doeddwn i ddim yn ymwybodol o hyn fy hun. Dywedodd hi hefyd nad oedd hi erioed wedi sylweddoli y gallai byw gyda rhywun oedd â dementia gael y fath effaith, ac i raddau, hi roddodd y syniad i fi am y llyfr hwn.

Ychydig ar ôl i ni symud tŷ, pan oeddwn i'n dal i drio esgus nad oedd dim byd o'i le ar Clive, roeddwn i fyny'r grisiau'n dadbacio. Roedd hyn yn waith anodd, gan ein bod wedi symud o dŷ mawr ar ei ben ei hun gyda phedair ystafell wely, i dŷ pâr gyda thair ystafell wely, ac roedd hi'n anodd i fi ddod o hyd i le i roi popeth. Roedd Clive a'r plant yn chwarae i lawr y grisiau, ac ar ôl cael digon ar y dadbacio fe es i gael paned o de. Roedd tipyn o sŵn yn dod o'r ystafell fyw, felly fe es i weld beth oedd yn digwydd yno. Roeddwn i wedi gadael yr ystafell yn eitha trefnus gyda'r dodrefn mawr yn eu lle ac ychydig o focsys yn erbyn y wal. Roedd Clive wedi dechrau dadbacio, ond roedd rhywbeth arall wedi tynnu ei sylw, a dyna lle'r oedd y tri ohonyn nhw yn neidio i fyny ac i lawr ar y *bubble-wrap* ac yn taflu peli papur pacio at ei gilydd ac yn cael amser gwych. Roedd yr ystafell yn llanast, a gan fy mod i'n teimlo'n bigog, collais fy nhymer. 'Beth ar y ddaear y'ch chi'n meddwl chi'n neud? Chi'n ymddwyn fel plant pum mlwydd oed.' Yna fe stopiais i ac edrych arnyn nhw. Roedd ein merch yn bump. Ein mab yn bedair. Ac er bod Clive yn ei bedwardegau, roedd yn rhaid i fi gyfaddef nad oedd yn 'oedolyn cyfrifol' erbyn hyn. Dechreuais i chwerthin. Wrth gwrs, roedden nhw'n ymddwyn fel plant pum mlwydd oed – dyna beth oedden nhw. Roeddwn i bob amser yn trio cofio hynny wedyn. Fe ymunais i yn y gêm cyn cael te ac yna chwarae gêm o gasglu'r darnau papur.

Er bod hyn wedi digwydd flwyddyn cyn i Clive gael ei ddiagnosis, roedd wedi gosod y patrwm ar gyfer y blynyddoedd nesaf. I bob pwrpas roeddwn i'n rhiant sengl gyda thri o blant. Roedd plant ifanc yn tyfu'n gorfforol ac yn meithrin sgiliau fel darllen, ysgrifennu a defnyddio cyllell a fforc, yn ogystal â datblygu gwybodaeth a dealltwriaeth o'r byd, tra oedd Clive yn colli'n araf yr wybodaeth a'r sgiliau hynny. Po fwyaf dwi'n meddwl amdano, mwyaf yw fy edmygedd ohono. Mae'n rhaid bod colli galluoedd rydych chi wedi'u cymryd yn ganiataol –

ysgrifennu llythyr, gwneud galwad ffôn – yn beth arswydus. Hyd yn oed yn gynnar yn ei salwch, roedd dealltwriaeth Clive o'r hyn oedd yn cael ei ddweud yn gyfyngedig. Mae'n rhaid ei bod hi'n debyg i fyw mewn gwlad dramor lle rydych chi'n methu deall yr hyn mae pobl o'ch cwmpas yn ei ddweud, ond eto yn fwy arswydus oherwydd eich bod yn gwybod eich bod yn arfer eu deall. Eto ni ddangosodd Clive unrhyw anobaith, dim ond dal ati, yn gwneud ei orau gan ddyfalbarhau nes byddai'n cael pethau'n iawn.

Roeddwn i allan o'r tŷ dipyn ar y dechrau, ac yn anffodus roeddwn i'n gadael yn y bore cyn i'r post gyrraedd. Clive oedd wastad wedi delio â gwaith papur y teulu, a nawr byddai'n ffeilio pob llythyr cyn gynted ag y byddai'n disgyn ar y mat. Roedd hyn yn rhwystredig iawn i fi, gan y byddai'n rhaid i fi fynd i chwilio am y post yn y llefydd mwyaf tebygol, bob nos ar ôl i fi gyrraedd adref. Ar y dechrau, byddai'r llythyron yn cael eu ffeilio mewn llefydd digon rhesymol fel y cwpwrdd ffeiliau, ond o dipyn i beth byddai'n eu rhoi yn y llefydd mwyaf rhyfedd, a dwi'n gwybod ein bod wedi cael rhai llythyron na wnes i byth ddod o hyd iddyn nhw. Roedden ni'n cynllunio gwyliau yn Jersey ac ysgrifennais at glwb deifio lleol i ofyn a fyddai'n bosibl ymuno â nhw. Ches i ddim ateb ac roeddwn i'n credu eu bod nhw wedi anwybyddu fy nghais. Rai misoedd yn ddiweddarach, fe ges i hyd i wahoddiad i ymuno â nhw, rhestr o safleoedd deifio posibl a rhifau ffôn; roedd y llythyr wedi llithro rhwng dwy ffeil ac yng ngwaelod y cwpwrdd ffeilio. Fe driais i ofyn i Clive adael y llythyron allan i fi eu gweld, ond methai Clive afael yn y syniad hwnnw.

Roeddwn yn dilyn cwrs yn y gwaith, a oedd yn gyfres o gyrsiau wythnos, unwaith y mis, am chwe mis. Am yr wythnos gyntaf roedd gennyn ni i gyd fathodynnau gyda'n henwau arnyn nhw. Ond chawson ni ddim rhai'r ail wythnos, felly fe ofynnais i a fyddai'n bosibl i ni gael rhai bob tro. Ar ddiwrnod cyntaf y drydedd wythnos fe gawson ni i gyd fathodynnau, ac fe ddiolchais i amdanyn nhw. Pan es i adref, fe dynnais y bathodyn a'i adael ar y bwrdd ger y gwely, a mynd i ddechrau paratoi swper. Drannoeth roeddwn i'n methu'n lân â dod o hyd i'r bathodyn. Gwagiais ddroriau, tynnais y dillad oddi ar y gwely, a chwiliais amdano ym mhobman, ond roeddwn i'n methu dod o hyd iddo. Bu'n rhaid i fi fynd i'r gwaith hebddo.

Roedd hyn yn ddoniol iawn i bawb arall ar y cwrs; fi oedd wedi gofyn am y bathodynnau a dyna lle'r oeddwn i heb un. Wnes i ddim trio esbonio, ond roeddwn yn weddol siŵr y byddwn yn dod o hyd iddo rywbryd, ym mha le bynnag y byddai Clive wedi'i ystyried yn lle rhesymol ei roi i'w gadw'n ddiogel. Am gyfnod roedd bod yn daclus yn obsesiwn ganddo, ac achosodd hynny drafferthion diddiwedd i fi.

Roedd problemau tebyg gyda galwadau ffôn. Os oedd Clive yn cymryd neges i fi, byddai'n gwneud ei orau i wneud nodyn ohoni, ond yn aml iawn roeddwn i'n methu darllen y neges na hyd yn oed ddyfalu pwy oedd wedi ffonio. Roedd gofyn i Clive yn siŵr o arwain at helynt, gan y byddai'n cymryd ato'n ofnadwy. Byddwn yn fy nghysuro fy hun drwy feddwl y byddai'r rhan fwyaf o bobl yn ffonio eto.

Pan oeddwn i'n ifanc roedd gen i dipyn o dymer, ac mewn gwirionedd byddai ein teuluoedd yn ein galw ni yn 'Poeth ac Oer', gan fod Clive mor dawel a digynnwrf a minnau'n un mor danllyd. Erbyn heddiw mae gen i enw da am fod yn dawel ac yn ddigyffro. Canlyniad blynyddoedd o fyw gyda Clive a'i salwch yw hyn. Fe ddes i'n dda iawn am rifo i ddeg, a deg arall, a deg arall eto weithiau. Newidiodd fy mlaenoriaethau i hefyd. Doedd pethau a oedd unwaith yn bwysig iawn, fel gwisgo dillad i'r gwaith sy'n mynd gyda'i gilydd, ddim mor bwysig erbyn hyn. Roeddwn i'n llawer mwy parod i dderbyn sefyllfa nag yr oeddwn i wedi bod erioed.

Pan gafodd Clive ei ddiagnosis gyntaf, fe gawson ni ein cynghori i gael hyfforddwr gyrru i asesu ei allu i yrru. Pasiodd Clive yr asesiad cyntaf yn iawn, felly roeddwn i'n ddigon hapus iddo barhau i yrru. Roedd hyn yn golygu y gallai nôl y plant o'r ysgol a mynd i'r dref i siopa. Roedd yr ysgol yn weddol agos, ar hyd ffordd wledig dawel, a doedd y dref agosaf ddim ond ychydig filltiroedd i ffwrdd, felly doeddwn i ddim yn poeni gormod. O'r diwedd, ryw chwe mis ar ôl yr asesiad cyntaf, fe ges i ateb i fy llythyr at y DVLA, a threfnais brawf gyrru i Clive. Yn anffodus fe fethodd Clive y prawf oherwydd roedd yn rhy ofalus, a bu'n rhaid i fi ymateb yn gyflym a'i atal rhag gyrru. Roedden ni'n ffodus iawn, gan ei fod yn dal i allu mynd o gwmpas ar ei feic, felly doedd colli ei drwydded yrru ddim yn golygu ei fod yn colli ei annibyniaeth yn llwyr. Dwi'n credu bod rhoi'r gorau i yrru'n dipyn o ryddhad iddo, ond un bore pan ddywedais y byddai'n rhaid i fi fynd i roi petrol yn y car, fe gynigiodd Clive wneud hynny. Pan wnes i ei atgoffa nad oedd yn cael gwneud hynny, fe gytunodd ond fe aeth i chwilio am allweddi'r car beth bynnag.

Roedden ni wedi bod yn deulu dau gar ers blynyddoedd, ond y penwythnos hwnnw fe werthais y ddau gar a phrynu car oedd yn hollol wahanol iddyn nhw – lliw hollol wahanol i'r lleill, ac yn edrych yn hollol wahanol – ac fe fyddwn wastad yn cyfeirio ato fel fy nghar i. Derbyniodd Clive y sefyllfa a wnaeth e byth drio gyrru eto.

Roedd Clive yn parhau i fy helpu i o gwmpas y tŷ. Fe ddes i'n gyfarwydd â rhoi'r dodrefn yn ôl yn eu lle iawn ar ôl i Clive hwfro, ac edrych yn y cwpwrdd crasu rhag ofn ei fod wedi rhoi'r dillad yno yn syth allan o'r peiriant golchi. Petawn i'n gadael i'r dillad hel yn y fasged olchi, byddai Clive yn rhoi help llaw drwy eu gwasgu i gyd i mewn i'r peiriant a'u golchi ar wres uchel iawn – roedd yn benderfynol o gael popeth yn lân. Dysgais yn fuan i gael cornel gudd ar gyfer dillad oedd i'w golchi â llaw yn unig – ond o dipyn i beth fe aeth y rhain yn llai wrth i Clive gael gafael arnyn nhw, ac wrth i minnau roi'r gorau i brynu unrhyw beth roedd yn rhaid ei olchi â llaw. Roedd hi'n amhosibl colli amynedd â Clive – roedd yn gwneud ei orau i helpu a doedd gen i mo'r galon i'w atal yn gyfan gwbl.

Roedd yn dal i allu gwneud rhywfaint o'r siopa ond roedd yn rhaid i fi fod yn ofalus i beidio â gofyn iddo nôl pethau bregus neu bethau fyddai'n torri'n hawdd wrth eu cario yn ei rycsac. Wrth i'w allu i ddarllen ddirywio, roedd y pethau y byddai'n eu prynu'n wahanol iawn i'r hyn roeddwn i wedi gofyn amdanyn nhw. Un tro pan gyrhaeddais i adref roedd y rhewgell yn llawn hufen iâ, a dro arall roedd wedi prynu gwerth chwe mis o fysedd pysgod. Yn ffodus doedden ni ddim yn gorfod cyfri'r ceiniogau – byddai hynny wedi bod yn amhosibl i'w wneud heb beidio â rhoi arian i Clive.

Roedd Clive yn cadw dau barot copog (*cockatiel*) ac roedd wedi gofyn fy nghaniatâd i'w cael cyn iddo eu prynu. Erbyn hyn roedden nhw ychydig flynyddoedd oed – tua'r un oed â'n merch ni. Roedd yr adar yn ddigon cyfeillgar, er eu bod nhw'n gwneud llanast ofnadwy, yn gollwng hadau yn eu cawell cyn defnyddio'u hadenydd i'w gwasgaru drwy'r tŷ. Byddai Clive yn eu gadael allan bob nos ac fe fydden nhw'n eistedd ar ein hysgwyddau. Datblygodd Clive dipyn o obsesiwn am eu bwyd. Bron bob tro yr âi i siopa byddai'n prynu pecyn arall o hadau nes byddai'r cwpwrdd bwyd adar yn llawn. Mae'n rhaid bod pryfed wedi mynd i mewn i un o'r pecynnau gan i'r ystafell, ac yna'r tŷ i gyd, lenwi â rhyw fath o wyfynod. Llwyddais, gydag amser, i ddod o hyd i darddiad y drwg ond fe gymerodd hi oes i ni gael gwared â'r gwyfynod. Dechreuodd Clive lenwi'r cwpwrdd eto ar unwaith.

Roedd gennyn ni fowld siâp cwningen i wneud jeli, a byddai Clive wrth ei fodd yn gwneud jeli i de. Blas mafon oedd hoff flas y plant. Os nad oedd ganddo ddigon o amser i wneud y jeli, byddai Clive yn ei roi yn y rhewgell i'w oeri'n gyflym. Roedd y rhewgell yng nghornel bellaf yr ystafell fwyta a oedd â charped gwyrdd golau ar y llawr. Fwy nag unwaith wrth iddo gario'r mowld o'r gegin i'r rhewgell, byddai'n gollwng jeli ar y carped gan wneud llanast a fyddai'n aros amdana i pan fyddwn i'n dod adref o'r gwaith. Eto, roedd hi'n amhosibl i fi golli fy nhymer gydag ef, ond bu'n rhaid i fi gyfrif i ddeg fwy nag unwaith. Mae jeli yn rhywbeth sy'n glynu wrth garpedi ac yn anodd iawn ei lanhau; fyddai ymdrechion Clive i'w lanhau ddim ond yn llwyddo i'w wasgaru ymhellach ar draws y carped.

Pan awgrymwyd y gallai Clive fynd i Glwb Alzheimer Abingdon, fe es i gydag ef i weld y lle ac i gyfarfod â'r staff. Am ryw reswm, gwrthododd Clive ddod gyda fi yn y car, ac aeth ar ei feic. Drwy ryw wyrth – roeddwn wedi llwyddo i egluro wrtho lle roedd y ganolfan – fe wnaethon ni gyfarfod y tu allan i'r adeilad. Rhoddodd Clive ei feic yn y rac feiciau a rhoi cadwyn y clo i hongian dros y sêt. Roedd y ganolfan yng nghanol y dref ac roeddwn i'n teimlo'n eitha tlawd, felly fe ddywedais wrth Clive nad oedd y clo yn cadw'r beic yn ddiogel. Anghytunodd Clive a dechrau colli ei dymer. Mynnais ei fod yn cloi'r beic yn iawn a thynnais y clo oddi ar y cyfrwy. Ddywedodd Clive ddim un gair, dim ond cipio'r clo o fy llaw, gafael yn ei feic, neidio arno a mynd oddi yno yn ei dymer. Dyna pryd wnes i ddysgu nad oedd hi werth yr ymdrech i geisio'i ddarbwyllo i beidio â gwneud dim byd roedd am ei wneud, na cheisio'i ddarbwyllo i wneud rhywbeth nad oedd am ei wneud. Roedd yn rhaid i fi ysgrifennu at bawb yr oedd yn eu gweld yn rheolaidd ac esbonio'r sefyllfa. Wrth i'w ddealltwriaeth o iaith a'i gof waethygu, daeth hyn yn fwy o broblem. Roedd yn rhaid iddo wneud yr hyn roedd am ei wneud ar unwaith; mae'n siŵr ei fod yn poeni y byddai'n ei anghofio pe na bai yn ei wneud ar unwaith. Ond fe aeth hi'n fwy a mwy peryglus i'w groesi. Weithiau yr oedd hi'n bosibl tynnu ei sylw, ond nid bob tro.

Gan fod y ddau ohonon ni wedi hen arfer defnyddio arwyddion llaw pan oedd hi'n amhosibl i ni siarad â'n gilydd wrth ddeifio, roedden ni'n gyfarwydd â chyfathrebu heb eiriau. Roedd hyn yn helpu ychydig ar y dechrau ond mae arwyddion llaw deifwyr yn rhai syml – iawn, ddim yn iawn, edrych ar hwnna, dere yma – ac roedd Clive yn tueddu i nodio'i ben a gwenu p'un a oedd yn deall neu beidio. Roedd hyn yn fy atgoffa o'r adeg pan oeddwn i a nifer o Saeson eraill yn gwneud gwaith cyfrifiadurol i gwmni o'r Almaen. Roedden ni i gyd wedi cael gwersi dwys i ddysgu Almaeneg, ac ar ôl rhai misoedd fe aethon ni â'n partneriaid am bryd o fwyd gyda'n cyd-weithwyr o'r Almaen. Roedd y sgwrs mewn Almaeneg a dyna lle'r oeddwn i yn nodio a gwenu ac yn deall tua hanner y sgwrs. Aeth popeth yn iawn nes i un o'r partneriaid uniaith Saesneg ofyn am gyfieithiad ac edrychodd pawb yn lletchwith ar ei gilydd. Roedden ni i gyd yn gwybod yn fras beth oedd yn cael ei ddweud, ond doedd neb yn barod i roi cyfieithiad. Mae'n rhaid mai dyna sut roedd Clive wedi teimlo; bron â deall ond byth yn siŵr.

Roedd hi'n anodd dod o hyd i weithgareddau y gallai Clive a'r plant eu mwynhau gyda'i gilydd. Pan fydden ni'r tu allan, roedd popeth yn iawn. Roedden ni'n gallu chwarae gemau pêl, mynd i'r parc, neu ddim ond rhedeg o gwmpas; un haf fe fuon ni'n hedfan barcut yn aml a mynd i nofio bron bob wythnos. Ond wrth i'r gaeaf agosáu, doedden ni ddim yn gallu treulio cymaint o amser y tu allan. Fe brynais i beli meddal i chwarae â nhw tu mewn, a'r gêm Twister. Roedd gennyn ni hefyd drampolîn bach a gêm ceir rasio, ond yr hoff gêm oedd un a ddatblygodd o Twister a'r holl ffug ymladd a'r goglais roedden nhw wastad wedi'i fwynhau. Ond wrth i'r plant dyfu ac wrth i Clive fethu'n raddol â sylweddoli ei nerth ei hun, dechreuais boeni y byddai rhywun yn siŵr o gael ei anafu. Ond ar yr un pryd, doeddwn i ddim am roi'r gorau i'r unig beth roedd Clive a'r plant yn gallu ei wneud gyda'i gilydd. Felly fe addaswyd y gêm ychydig: os byddai unrhyw un yn dweud 'stopiwch', fe fyddai'r gêm yn peidio ar unwaith. Roedd hyn yn gweithio'n dda iawn ac fe barhaodd y gêm nes i'r amser ddod i Clive ein gadael.

Yr un peth y llwyddodd Clive i'w wneud bron hyd at y diwedd oedd torri'r lawnt. Ar y dechrau dim ond y gwair fyddai'n ei dorri, gan adael llonydd i'r border blodau, ond yr haf canlynol byddai'n torri'r blodau hefyd. Yn y diwedd roeddwn i'n gorfod cael y torrwr yn barod iddo, ac un diwrnod fe welais i Clive yn codi'r torrwr ac yna'n ei ollwng ar ben rhai o lwyni'r ardd. Rhuthrais allan i'w atal, ac am rai wythnosau roedd rubanau amryliw oedd wedi eu clymu o gwmpas y llwyni yn eu hamddiffyn, ond doedd hyn ddim yn hollol effeithiol. Doedd Clive erioed wedi bod yn arddwr brwd iawn, ac roedd hi fel petai ei fod e'n dial am yr holl chwynnu roeddwn i wedi gofyn iddo'i wneud yn y gorffennol. Wedi hynny tyfais fy mlodau i gyd mewn potiau, ac roedden nhw'n ddiogel rhag Clive.

Wrth edrych yn ôl

'Sut ddes i drwyddi?' Dyna mae pobl yn aml yn ei ofyn i fi, ac mae'n rhaid i fi wenu. Doedd gen i ddim dewis. Roedd y dewisiadau'n annioddefol – gofal maeth i'r plant, cartref nyrsio neu ysbyty meddwl i Clive. Ond mwy perthnasol yw sut ges i'r nerth i oroesi. Roeddwn wastad wedi llwyddo i fynd i'r gampfa ddwywaith neu dair yr wythnos, a oedd yn sicr yn help. Roedd y gampfa ar draws y ffordd i'r swyddfa, a gallwn fynd yno amser cinio. Dysgais i beidio â meddwl am y darlun mawr, ond am bethau bach y gallwn eu gwneud yn yr amser oedd gen i. Am tua dwy flynedd byddwn yn diffinio diwrnod llwyddiannus yn nhermau golchi bocsys bwyd y plant yn barod ar gyfer y diwrnod wedyn cyn mynd i'r gwely. Aeth nifer o bethau oedd unwaith wedi bod yn bwysig i fi i'r naill ochr. Rhoddwyd y gorau i wahodd pobl am bryd o fwyd. Doeddwn i erioed wedi bod yn arbennig o dda am lanhau'r tŷ, ac fe aeth pethau'n waeth. Rhywbeth roedd pobl eraill yn ei wneud oedd smwddio dillad. Byddwn i'n mynd i'r gwaith mewn jîns a chrys T. Fyddai'r car byth yn cael ei olchi. Ond chafodd neb wenwyn bwyd ac os oedd y car yn fudr, roedd petrol ynddo bob amser ac roedd yn ddibynadwy iawn.

Roedd deall y rheswm dros ymddygiad Clive yn help. Roedd llawer o bethau y gallwn i fod wedi'u gwneud yn gyflymach ac yn haws ar fy mhen fy hun, ond byddwn yn trio gadael i Clive wneud yr hyn a allai, a datblygu ffyrdd o ymdopi pan fyddai pethau'n mynd o le. Roedd hi fel petai'n bwysig iddo ei fod yn parhau i gyfrannu at fywyd y teulu. Roeddwn yn bencampwraig ar rifo i ddeg, ar edrych i'r cyfeiriad arall, ar beidio ag ymyrryd. Ond roedd rhai pethau, fel yr adegau y byddai Clive yn fy nilyn i bobman, yn anodd iawn eu derbyn. Roeddwn i'n gwybod pam ei fod yn fy nilyn – yr angen am sicrwydd fy mod i yno. Roedd hi'n torri fy nghalon i feddwl am fy ngŵr cryf, annibynnol, yn dod mor ddibynnol. Ond, er gwaethaf hynny, byddwn yn gorfod gwneud ymdrech fawr i beidio â gweiddi arno a'i wthio oddi yno. Doedd gwybod pam ei fod yn ymddwyn fel hynny ddim yn gwneud delio â hynny'n haws.

Dechreuais wneud rhestrau o bethau i'w gwneud, ond fe wnes i roi'r gorau i hyn yn fuan, gan ei fod yn fy ngwneud yn ddigalon. Doedd y rhestr byth yn mynd yn fyrrach, ond yn hytrach yn tyfu ac yn tyfu. Roedd hi'n amlwg beth oedd angen ei wneud: y drewdod oedd yn fy nharo wrth agor drws yr oergell yn dweud bod rhywbeth drwg yn cuddio yno; y cylch gludiog ar y carped yn awgrymu bod Clive wedi gollwng jeli; cwynion y plant yn golygu bod rhaid i fi olchi eu dillad neu siopa. Fy arwyddair oedd 'paid gwneud dim byd heddiw rwyt i'n gallu ei adael tan yfory'. Ac fe weithiodd hyn yn rhyfeddol o dda. Os oeddwn i'n gallu gohirio gwneud rhywbeth yn barhaol, roedd hi'n amlwg nad oedd mor bwysig â hynny. Y pethau oedd yn bwysig i fi oedd creu amgylchedd lle gallai Clive ddal ati, gofalu am y plant a thrio cadw rhywfaint o nerth corfforol a meddyliol ar gyfer fy ngwaith. Byddai pobl yn gofyn beth oeddwn yn ei wneud 'i fi fy hun', ond byddwn yn osgoi'n fwriadol gael amser ar fy mhen fy hun, gan fy mod wedi anghofio'r holl bethau yr oeddwn i unwaith yn gallu eu gwneud. Fy mhleser i oedd amser yn y gampfa, lle byddwn yn canolbwyntio ar rifo. Pan oedd gen i amser rhydd, byddwn yn chwarae'r gêm *patience* ar y cyfrifiadur. Doedd hi ddim yn gêm roeddwn yn ei mwynhau'n arbennig, ond roedd yn rhyw fath o anesthetig i'r meddwl. Yr un peth doeddwn i ddim am ei gael oedd amser i feddwl am y dyfodol.

Pennod 6

Suddo

Mae Clive a minnau yn Hyde Park Corner yn disgwyl am y bws yn ôl i Rydychen. Rydyn ni ar ein ffordd adref ar ôl ychydig ddyddiau i ffwrdd ar ein pen ein hunain. Bydd y bws yn cyrraedd cyn bo hir. Dydi Clive ddim yn gallu siarad rhyw lawer bellach; mae'n dawnsio o'r naill droed i'r llall a dwi'n dechrau meddwl tybed a ydi e am fynd i'r tŷ bach. Yn ffodus mae tŷ bach ar y bws, felly fe ddylen ni fod yn iawn. Dwi'n gwenu ar Clive cyn troi i edrych lawr y ffordd am y bws. Pan dwi'n troi'n ôl, mae Clive wedi mynd. Dwi'n edrych o gwmpas yn wyllt ac yn ei weld yn rhuthro i mewn i'r twnnel i orsaf danddaearol Marble Arch. Dwi'n galw arno ond mae'n dal i fynd. Problem. Mae gennyn ni ddwy rycsac a llond bag plastig o anrhegion i'r plant. Erbyn i fi gydio ynddyn nhw i gyd a rhedeg ar ei ôl, mae Clive wedi diflannu. Does gen i ddim syniad beth i'w wneud. Dwi'n mynd yn ôl i aros am y bws a meddwl am y cam nesaf. O leiaf mae Clive yn dal i fod yn ddiogel yng nghanol trafnidiaeth. Dwi'n edrych o 'nghwmpas i ond does dim un plismon i'w weld yn unman. Does gen i ddim ffôn symudol – maen nhw'n dal yn hen bethau mawr a drud iawn. Mae'n debyg mai'r peth gorau i fi ei wneud yw aros am ychydig, a gobeithio y bydd Clive yn ffeindio'i ffordd yn ôl ata i. Yn anffodus mae gorsaf danddaearol Marble Arch yn un fawr iawn gyda sawl ffordd allan ohoni, ond does dim byd arall i'w wneud. Dwi'n dechrau ymarfer sgwrs yn fy mhen ag unrhyw un y gallwn

> ofyn am ei help – gyrrwr y bws, arweinydd teithiau ymwelwyr, unrhyw un cyfeillgar. Dwi'n arswydo. Dwi'n penderfynu rhoi hanner awr i Clive cyn gwneud dim. Ychydig cyn i'r amser ddod i ben, mae Clive yn dod i'r golwg, yn gwenu'n gyfeillgar arna i ac yn rhoi cwtsh mawr i mi. Mae'r bws yn cyrraedd ac rydyn ni'n mynd adref. Rydyn ni wedi dod drwy antur ddiddorol arall gyda Clive.

Fe lwyddon ni i ymdopi gartref gyda'n gilydd am gyfnod eitha hir. Daeth trefn ar bethau i ni ac i Clive. Ysgol o ddydd Llun tan ddydd Gwener. Siopa ar fore dydd Sadwrn (fe ddes i gasáu'r archfarchnad honno gymaint), mynd yn aml i'r sinema ac wedyn am bitsa fin nos; mynd allan am dro neu ymweld â rhyw fferm neu amgueddfa neu'i gilydd ar ddydd Sul. Doedd hi ddim yn wych, ond doedd neb yn cwyno'n ormodol, a chawson ni ddim gormod o argyfyngau. Yna ym mis Ebrill 1996, roeddwn i'n feichiog eto. Roeddwn i'n gwybod ei bod hi'n mynd i fod yn anodd ymdopi â babi newydd yn y tŷ, ond er gwaethaf hynny, roeddwn wrth fy modd. Fe ddywedais i wrth bawb a dechrau cynllunio sut fydden ni'n ymdopi. Soniais wrth bobl y canolfannau dydd roedd Clive yn mynd iddyn nhw am y posibilrwydd ohono'n treulio ambell noson yno, neu efallai aros yno am fwy o oriau neu dros ambell benwythnos. Soniais wrth fy nghydweithwyr ac fe aethon ni allan am ginio i ddathlu. Soniais wrth y teulu, fy nheulu i a theulu Clive. Roedd pawb yn edrych yn amheus, ond ddywedodd neb ddim byd ar wahân i 'Llongyfarchiadau'. Cyrhaeddais 12 wythnos ac yna collais y babi.

Doedd dim wedi newid, mewn gwirionedd. Roedd Clive yn parhau â'i drefn. Byddwn i a'r plant yn dal i fynd am dro i fwydo'r hwyaid ar yr afon, mynd i'r sinema, cael pitsa... Pan ddechreuodd yr ysgol eto byddwn i'n paratoi eu cinio, yn golchi crysau, yn mynd â'r plant i'r ysgol yn y bore ac yn disgwyl amdanyn nhw yn y prynhawn. Bydden ni'n gwylio rhaglenni plant ar y teledu, ac yna'r newyddion am 6, 7, 9 a 10 o'r gloch. Ond eto, roedd popeth wedi newid i fi. Roeddwn i'n teimlo 'mod i'n methu ymdopi â'r byd. Arhosais gartref o'r gwaith yn sâl – roeddwn i'n methu meddwl yn iawn am ddim byd. Roeddwn i wedi ymddiried yn fy nghorff erioed, ac roedd wedi fy siomi i nawr. Fe wnes i alaru am fy mhlentyn coll, am fy ngŵr oedd yn diflannu ac am fy natur anorchfygol a oedd wedi mynd yn llwyr.

Ond wrth gwrs, aeth bywyd yn ei flaen. Ar ôl ychydig wythnosau fe es i'n ôl i'r gwaith; doeddwn i ddim cystal wrth fy ngwaith ag o'r blaen, ond roedd nifer o bethau arferol roeddwn i'n gallu eu gwneud yn eitha da. Dechreuais fynd i'r gwely yn hwyrach na Clive, yn esgus gweithio ar y cyfrifiadur ond mewn gwirionedd yn chwarae *patience*, fel y byddai'n cysgu cyn i fi fynd i'r gwely. Yn y boreau byddai Clive a minnau wedi arfer caru, ond yn awr roedd am garu yn yr hwyr hefyd, a doeddwn i ddim yn gallu ymdopi â hyn. Fy arwyddair o hynny ymlaen oedd cymryd 'un cam ar y tro', a dyna wnes i.

Ym mis Hydref roedd Clive yn cael ei ben-blwydd ac roeddwn i am iddo'i fwynhau, felly fe ofynnais iddo pa anrheg yr hoffai ei chael. Roeddwn i eisoes yn gwybod beth fyddai ei ateb. Yn gynharach roedd wedi mynd gyda rhai o'i ffrindiau o'r Fyddin i weld sioe yn Llundain ac roedd yn aml yn edrych ar y rhaglen ac yn dweud gymaint roedd wedi'i mwynhau. Oherwydd hynny roeddwn wedi penderfynu gofyn i un o'i ffrindiau fynd ag ef i'w gweld hi eto. Ond roedd nifer o'i ffrindiau gorau i ffwrdd a doeddwn ddim am ofyn i un o'r lleill, felly fe edrychais i ar y rhaglen i gael y cyfeiriad. Roedd Clive a minnau wedi gweld sioeau cabare ym Mharis, Amsterdam a Berlin ac roeddwn i wedi gobeithio mai rhywbeth tebyg fyddai'r sioe hon. Ond na, sioe merched noeth oedd hi, dim cantorion, dim comediwyr na chonsurwyr, dim byd roedden ni wedi'i weld yn y sioeau cabare eraill. Ac ar y noson yng nghanol cynulleidfa o ddynion, fi oedd yr unig ferch yno – ar wahân i res o ferched tenau, athletaidd, noeth ar y llwyfan. Mwynhaodd Clive y sioe ac roedd fel pe na bai'n meddwl ei bod hi'n rhyfedd fy mod i yno gydag ef. Fe wnes i fy ngorau i beidio â dangos fy lletchwithdod ac ar ôl i'r sioe orffen fe aethon ni am bryd o fwyd. Yn sicr, roedd Clive wedi mwynhau'r noson, ac roedd hi wedi bod yn dipyn o addysg i fi.

Yn fuan wedyn, fe gawson ni newyddion arbennig o dda – roedd y Fyddin am roi pensiwn uwch i Clive oherwydd ei salwch. Roedden nhw'n dal i wrthod derbyn ei fod yn sâl pan oedd yn y Fyddin, felly doedd y pensiwn ddim wedi'i ôl-ddyddio, ond roedd hyn yn golygu codiad sylweddol yn ein hincwm. Roeddwn i'n teimlo nawr fy mod i'n gallu fforddio gwario. Penderfynais ei bod hi'n bryd gwireddu addewid byrbwyll i fynd â'r plant (a Clive, wrth gwrs) i Florida a Disneyland.

Erbyn hyn roedd Clive yn cael trafferth wirioneddol i wneud pethau normal, felly fe wnes i ymgynghori â sawl un cyn mynd i Florida. Ddywedodd neb na ddylwn i fynd, ond roedd sawl un yn edrych yn bryderus. Roeddwn i'n gwybod 'mod i'n methu ymdopi ar fy mhen fy hun, felly gofynnais i hen ffrind o'r dyddiau deifio ddod gyda ni. Roeddwn i am osgoi'r adegau prysuraf, felly fe drefnais i gymryd y plant allan o'r ysgol a mynd ar ddechrau mis Ionawr. Gofynnais i ffrindiau eraill fynd â Clive a'r plant allan am y diwrnod er mwyn i fi gael llonydd i bacio, a gofyn iddyn nhw ein hebrwng i'r maes awyr a'n helpu drwy'r man derbyn bagiau a gwirio tocynnau. Ond bu bron i ni fethu cyn cychwyn, pan ruthrodd Clive allan o'r car i chwilio am dŷ bach yn y derfynfa anghywir yn Gatwick, ond fe lwyddon ni i'w gael yn ôl i'r car ac i fynd ar yr awyren. Roedd ein bagiau, ynghyd â fy ffrind deifio, a char, yn ein disgwyl yn Florida. Roeddwn i wedi llogi fila hunanarlwyo (doedd neb ohonon ni'n gallu ymlacio mewn bwytai bellach), ychydig filltiroedd o Disneyland.

Roedd Florida yn union fel yr oeddwn wedi'i obeithio – ar wahân i'r gwres. Roedd hi'n wirioneddol oer, ond roedd yr haul yn tywynnu, ac fe wnaethon ni fwynhau'r parciau thema (fe ddes i'n hoff iawn o'r *roller coasters*), snorclo gyda morfuchod (profiad bythgofiadwy ond aruthrol o oer) ac fe fuon ni'n ffodus iawn i weld y wennol ofod yn cychwyn. Aethon ni i weld y ffilm *Toy Story* cyn iddi gyrraedd Prydain, a wnaeth y plant yn hapus iawn, ac ar y cyfan, roedd y gwyliau'n wych. Cafodd pawb amser da, a dwi'n falch iawn ein bod wedi mynd yr adeg honno. Fydden ni ddim wedi gallu mynd yn ddiweddarach yn ystod salwch Clive, gan y byddai wedi bod yn amhosibl i ni ymdopi â'r holl deithio a'r newid yn y drefn ddyddiol. Roedd sawl un yn meddwl fy mod i'n wallgof yn mynd â Clive mor bell o gartref – fy nghyngor i i unrhyw un mewn sefyllfa debyg fyddai: ewch amdani.

Wnaeth y daith i America – mor agos ar ôl y Nadolig – ddim byd i reoli fy mhwysau, felly ychydig wythnosau wedyn penderfynais y dylwn wneud ychydig o ymarfer corff. Fe ymunais i â fy nghymydog yn y clwb sboncen lleol. Roedd y clwb yn cyfarfod yn eitha hwyr ar nos Sul, felly byddwn i'n rhoi'r plant yn eu gwelyau, ac yn rhoi Clive i eistedd o flaen y newyddion ar y teledu cyn gadael am Abingdon. Yn ffodus, fy nghymydog oedd yn gyrru. Fe wnes i gynhesu'n ofalus iawn cyn ymuno yn y gêm, ond ar ôl dim ond ychydig funudau, fe syrthiais i. Roedd hi'n teimlo fel petai rhywun o'r cwrt drws nesaf wedi sefyll ar gefn fy sawdl, felly roeddwn yn disgwyl i rywun ymddiheuro a gofyn, 'Wyt ti'n iawn?' Ond ddywedodd neb ddim. Ar ôl ychydig funudau gofynnodd fy mhartner a oeddwn i'n mynd i godi a pharhau i chwarae. Dyna pryd y sylweddolais i 'mod i'n methu rheoli fy nhroed dde. Wrth godi fy nghoes, roedd fy nhroed yn codi ac yn disgyn yn afreolus a braidd yn anghyfforddus. Daeth staff y ganolfan chwaraeon draw gyda bocs cymorth cyntaf, ac wedyn mynd i ffonio am ambiwlans. Roeddwn i wedi torri gwäellen fy mhigwrn (neu *Achilles tendon*, i roi'r enw mwy cyfarwydd arni). Yn yr ysbyty cefais blastr o fy modiau hyd at fy nghlun, gyda'r bodiau i gyd yn pwyntio at y llawr fel troed dawnsiwr bale. Cefais ffyn baglau, help i fynd i mewn i dacsi a chyfarwyddyd i ddychwelyd fore drannoeth am driniaeth.

Roedd hi'n 1 o'r gloch y bore erbyn i fi gyrraedd adref ac roedd hi'n anodd iawn i fi fynd i mewn i'r tŷ. Roedd gris tua chwe modfedd o uchder wrth y drws a doedd gen i ddim byd cadarn i afael ynddo. Wedi sawl cynnig a methu, eisteddais ar y gris a gwthio fy hun i mewn, fodfedd wrth fodfedd, wysg fy nghefn. Wrth i mi droi, fe welais i fod Rachel yn cysgu o dan ei *duvet* yng nghornel y gegin. Gan fy mod i'n credu y byddai pawb yn cysgu, roeddwn i heb ffonio i ddweud fy mod i yn yr ysbyty, ond roedd Rachel wedi trio aros ar ddi-hun nes i mi ddod adref. Pan oeddwn i heb ddod adref ar yr amser roeddwn wedi'i fwriadu, roedd hi wedi mynd i nôl ei *duvet* ac aros amdana i. Fe gawson ni gwtsh – a chollais innau ddeigryn neu ddau – cyn i Rachel fy helpu i fyny'r grisiau, eto ar fy eistedd ac wysg fy nghefn, i fy ngwely.

Dydw i ddim yn cofio llawer am y dyddiau nesaf. Aeth fy nghymydog â fi i'r ysbyty i gael plastr arall y byddwn yn ei gadw am fis, cyn ei newid i godi fy nhroed yn raddol i'r ystum ongl sgwâr, normal. Dwi ddim yn gwybod sut aeth y plant i'r ysgol y diwrnod hwnnw, na hyd yn oed a fuon nhw yno – mae'n fwy na thebyg mai fy nghymydog aeth â nhw, gan eu bod yn rhy ifanc i'w gadael yn y tŷ ar eu pen eu hunain. Dilynodd Clive ei drefn arferol ei hun, fel y byddai'n ei wneud bob amser. Y noson honno cefais i a fy nghymydog fwy na'n siâr o jin a thonig. Fe wnes i sawl galwad ffôn daer i'r Gwasanaethau Cymdeithasol a ddywedodd eu bod nhw'n gweithio ar ein hachos. Wrth gwrs, ffoniais fy mam, a gytunodd i ddod i lawr i'n helpu. Fe gawson ni help gan gangen leol yr Alzheimer's Society i siopa ac i dalu am wasanaeth tacsi i fynd â'r plant i'r ysgol ac oddi yno. Cyrhaeddodd Mam o Swydd Efrog ond gan ei bod hi wedi bod yn garddio ac yn clirio'r garej cyn gadael, erbyn iddi ein cyrraedd ni roedd ei chefn yn boenus iawn, ac roedd seiatica arni. Roeddwn i wedi paratoi ysgwydd cig oen i swper ond doedd yr un ohonon ni'n gallu ei gario at y bwrdd. Methais â chael Clive i ddeall beth roeddwn i am iddo'i wneud ac roeddwn i'n credu bod y plant yn rhy ifanc o lawer i gario rhywbeth mor drwm a phoeth. Rhoddais y ddysgl ar y llawr a chropian y tu ôl iddi, yn ei gwthio o'r gegin i'r ystafell fwyta. Nos Iau oedd hi.

Fe ffoniais y Gwasanaethau Cymdeithasol eto drannoeth. Mae'n debyg eu bod nhw'n meddwl, gan fod Mam wedi cyrraedd, doedd dim angen rhagor o help arnon ni. A dweud y gwir, er bod ei chael hi yno'n gysur mawr, roedd llawn cymaint o angen gofal arni hi ag oedd arnon ni. Roedd Clive yn gwneud ei orau ond doedd ganddo fawr o syniad beth oedd yn digwydd. Roedd yn gallu gwneud paned o de o hyd, ond byddai'n gadael fy nghwpan ar y bwrdd lle nad oeddwn yn gallu ei gyrraedd, ac yna byddai'n siomedig oherwydd 'mod i heb ei yfed. Roedd yn gallu fy ngweld i'n symud o gwmpas y tŷ, ond allwn i ddim ei gael i ddeall 'mod i'n methu cario dim tra oeddwn ar y ffyn baglau.

Roedd Rachel yn cael ei phen-blwydd ar y dydd Sadwrn. Roeddwn i wedi methu cael anrheg iddi, na theisen, na gwneud dim byd i ddathlu. Roedd hi'n wyth oed ac yn siomedig iawn. Mewn cyfyng-gyngor, fe ffoniais i wraig un o gyd-weithwyr Clive, ac fe drefnodd hi i fynd â'r plant allan am y dydd.

Daeth pethau'n raddol i drefn unwaith eto. Byddai cadeirydd grŵp lleol gofalwyr Alzheimer yn dod yn rheolaidd i fynd â fi i'r ysbyty. Byddai ffrindiau a chymdogion yn helpu gyda'r siopa nes i'r Gwasanaethau Cymdeithasol ei gweld hi o'r diwedd, a threfnu i rywun ddod am ddwy awr, unwaith yr wythnos, i fynd â fi i siopa. Gwellodd seiatica Mam. Dilynai Clive ei drefn arferol ei hun heb fod angen unrhyw gymorth ychwanegol. Pan gyrhaeddodd gwyliau'r Pasg, daeth fy chwaer yng nghyfraith i nôl y plant i fynd i aros gyda hi. Penderfynodd Mam y byddai'n symud i fyw yn nes ata i; roedd ei chartref yn rhy fawr iddi bellach. Er ei bod wrth ei bodd gyda'r erw o ardd, roedd hi'n methu gofalu amdani fel yr oedd wedi arfer ei wneud. Doeddwn i erioed wedi meddwl y byddai'n gadael Swydd Efrog, ond roeddwn wrth fy modd yn ei chael hi'n agos. Roedd hi wedi bod yn athrawes Saesneg ac roedd Rhydychen yn cynnig mwy o theatrau a dosbarthiadau nos na phentref gwledig yn Swydd Efrog. Felly, tra oedd y plant yn yr ysgol a Clive yn un o'r canolfannau dydd, byddai'r ddwy ohonon ni'n chwilio am dŷ iddi. Aeth Mam yn ôl i Swydd Efrog i roi trefn ar ei thŷ; gwellodd fy ngwäell, neu'r tendon, ac unwaith eto roedd popeth yn normal – yn normal i ni.

Adeg y Nadolig, roeddwn i wedi addo taith i Baris i Clive. Roedd y ddau ohonon ni wedi bod ym Mharis o'r blaen a phrin fyddai'r cyfleoedd o hyn ymlaen. Doedd Clive ddim yn deall fy anallu i gerdded ac roedd yn fy atgoffa i o hyd am fy addewid. Felly, cyn gynted ag yr oeddwn i'n gallu symud eto, fe brynais i docynnau Eurostar a bwcio gwesty ym Montmartre. Mae'n siŵr ei bod hi'n fis Mehefin erbyn hyn, a'r tywydd yn braf iawn ond nid yn rhy gynnes.

Bu bron i bopeth ddod i ben yn Llundain. Roedd gwaith ffordd yn Rhydychen ac roedd y bws i Lundain wedi cymryd llawer mwy o amser nag yr oeddwn i wedi'i ragweld, ac o ganlyniad bu'n rhaid i ni ruthro ar draws Llundain yn y trên tanddaearol i drio dal ein trên. Doedd Clive yn dda i ddim pan fyddai ei drefn yn wahanol, ac roedd yn dechrau cael anhawster gwirioneddol i ddeall dim byd newydd. Roedd Llundain yn ei ddrysu, a mynnai aros yn agos ata i. Roedd y system drenau tanddaearol newydd osod clwydi awtomatig, a oedd wedi synnu'r ddau ohonon ni. Roeddech chi'n rhoi'r tocyn mewn twll, a byddai'r glwyd yn gadael i un ar y tro fynd drwyddi. Ond doedd Clive ddim am gael ei wahanu oddi wrthyf i, ddim hyd yn oed o ychydig fodfeddi. Yn ffodus, fe arhosodd y ddau ohonon ni y tu allan i'r glwyd. Mae'n gas gen i feddwl sut byddai Clive wedi ymateb petaen ni wedi cael ein gwahanu. Fel yr oedd hi, roedd fy nhocyn wedi mynd drwy'r glwyd, a gyda Clive yn agos iawn y tu ôl imi, roedd yn rhaid i mi gael hyd i swyddog, esbonio'r broblem a'n galluogi ni'n dau i fynd drwy'r clwydi gyda'n gilydd. Fe gymerodd hyn gryn amser, a gan fod Clive yn dal i edrych yn iach ac yn normal iawn, roedd y swyddog yn amau fy mod yn tynnu ei goes. Fe gyrhaeddon ni orsaf Waterloo gyda dim ond dwy funud mewn llaw, ac eistedd yn ein seddi.

Roedd Clive wedi dilyn hynt (a helynt) adeiladu Twnnel y Sianel o'r dechrau gyda diddordeb mawr. Y flwyddyn gynt, pan oedden ni'n cynllunio'r daith yma, roedd wedi edrych ymlaen yn fawr at deithio ar y trên drwy'r 'Chunnel' ond go brin ei fod wir yn deall ble roedden ni. I fi roedd y daith ar yr Eurostar, er ei bod yn rhyfeddod, yn hollol ddiflas – yn ddim byd ond taith drên arferol, gydag ychydig ohoni yn y tywyllwch. Dwi'n amau a oedd Clive wedi sylwi rhyw lawer arni.

Roedd Paris ychydig yn frawychus. Nid oedd fy Ffrangeg i'n arbennig o dda erioed – roeddwn i'n fwy rhugl o lawer yn Almaeneg. Clive oedd y cyfieithydd Ffrangeg, ond ddim bellach. Ar ôl helynt Llundain, doeddwn i ddim am fentro'r Metro, a dwi'n anobeithiol am gael gafael ar dacsi. Felly fe gerddodd y ddau ohonon ni i bobman. Yn ffodus roedd y gwesty yng nghanol y ddinas ac roedd y tywydd yn braf iawn.

Fe gawson ni swper ar do Canolfan Pompidou, cinio gerllaw'r Champs Elysées a phicnic ger y Seine. Fe aethon ni i Dŵr Eiffel, i fyny yn y lifft ac i lawr y grisiau. Fe aethon ni ar *bateau mouche*; i weld sioeau yn y Lido, y Crazy Horse a'r Moulin Rouge. Roedd popeth yn ddrud, ond doeddwn i ddim yn poeni am hynny. Fe gerddon ni am filltiroedd a datblygodd lwmp maint wy colomen ar fy mhigwrn. Fe aeth y ddau ohonon ni ar y trên am adref gyda photeli gwin yn tincial yn ein rycsacs, a oedd yn llawn anrhegion i bawb adref. Roedd hi wedi bod yn daith wych, ond yn flinedig iawn, gan mai fi oedd yn gorfod gwneud y penderfyniadau i gyd. Roeddwn yn gyfarwydd â rhannu popeth â Clive a doedd hi ddim yn teimlo'n iawn, rywsut, nad oeddwn i'n gofyn iddo beth fyddai yntau'n hoffi'i wneud – yn waeth o lawer na phan oedden ni gartref.

Roedd hi'n dod yn fwy anodd i Clive wneud pethau pob dydd. Roedd yn gallu paratoi ei frecwast ei hun o hyd, a gwneud paned o de neu goffi, ond roedd yn cael trafferth i wneud ei ginio. Ers pan oedd y plant yn fach roedd wedi gwneud ei ginio ei hun, caws ar dost neu wyau wedi'u mudferwi, bob tro. Roedd ffrind wedi rhoi potiau bach mudferwi wyau iddo ac roedd Clive wedi cael pleser mawr yn paratoi rhai at ddant pawb – saws Tabasco yn fy un i, saws Caerwrangon iddo fe a phinsiad o halen yn wyau'r plant. Anghofiodd beth roedd pawb yn ei hoffi, ac yna anghofiodd sut i dorri'r wyau a'u rhoi yn y potiau, ac yna sut i'w berwi. Fe fyddwn i'n trio peidio â'i wylio, a helpu drwy roi popeth allan yn y drefn iawn yn y gegin. Fe driodd wneud caws ar dost, ond anghofiodd am y tost a rhoddodd dafelli o gaws, heb y bara, dan y gril. Gwnaeth y cyfan dipyn o lanast, ac roedd gweld yr olwg ddryslyd ar ei wyneb yn torri fy nghalon.

Dechreuodd gael drafferth i wisgo amdano. Roedd yn rhaid i fi roi ei ddillad allan ar y gadair yn y drefn gywir: sanau, trowsus, crys, fest a thrôns. Byddai'n cau botymau'r crys yn anghywir, neu ddim o gwbl. Weithiau byddai'n gwisgo'r fest go chwith. Petai'n taro'r swp dillad i'r llawr, byddai'n gwisgo'r fest yn olaf. Roedd wastad wedi bod yn ofalus iawn bod ei ddillad yn lân, ond nawr roedd yn rhaid i fi ofalu bod y dillad brwnt yn mynd i'r fasged olchi. Dechreuodd un o staff y pwll nofio fy ffonio – dyn anhygoel o garedig, a oedd yn deall. 'Helen, cymerodd Clive siwmper rhywun arall adref heddiw – ydi hi'n iawn i fi alw heibio i'w nôl?' Roedd Clive yn dal i allu beicio i'r pwll nofio, newid, nofio, gwisgo amdano eto a beicio adref, ond weithiau byddai'n gwisgo'r dillad anghywir. Unwaith roedd y pwll wedi cau ar gyfer gwaith cynnal a chadw, ond er bod y drws i'r ystafelloedd newid wedi'i gloi, roedd y drws i'r pwll yn agored. Nofiodd Clive yn ei ddillad a daeth adref yn wlyb.

Fel arfer defnyddiai gerdyn credyd i dalu am bethau, ond weithiau (efallai i dalu am baned o goffi) byddai'n defnyddio arian parod. Dechreuodd drwy fethu ag ymdopi ag arian mân, a byddai'n cymryd dyrnaid o ddarnau arian o'i boced a'u cynnig i'r un y tu ôl i'r cownter i'w helpu ei hun. Yn ffodus, roedd Clive yn dal i fod yn ddyn mawr cryf a doeddwn i ddim yn poeni y byddai rhywun yn ymosod arno yn y stryd. Diolch byth roedd hyn cyn dyddiau cardiau electronig a rhif PIN; byddai hynny wedi bod yn drech na Clive. Roedd yn gallu llofnodi slip papur y cerdyn credyd ac er bod ei lofnod yn dirywio, anaml iawn y byddai'n cael ei wrthod.

Dechreuodd fynd ar goll wrth fynd i wahanol lefydd. Byddai'n cychwyn am y ganolfan ddydd yr un amser ag arfer, a rhai oriau'n ddiweddarach byddai'r ganolfan yn fy ffonio. 'Helen, ydi Clive yn dod heddiw?' Fel arfer byddai'n ffeindio'i ffordd yno yn hwyr neu'n hwyrach; dwi'n credu ei fod yn mynd o gwmpas cylchffordd Rhydychen sawl gwaith. Wnes i byth wybod ble roedd e wedi bod a byddwn i'n trio peidio â phoeni. Dwi'n credu ei bod hi'n well ei fod yn mynd ar goll weithiau nag i fi ei atal rhag gadael y tŷ o gwbl. Byddai rhai pobl yn mynd ar fy nerfau. 'Helen, fe ddylet ti atal Clive rhag... [beicio/nofio/siopa neu beth bynnag].' Doedd neb byth yn esbonio sut ddylwn i atal Clive, a oedd yn bum troedfedd a deg modfedd ac yn dair stôn ar ddeg, rhag gwneud dim yr oedd ef am ei wneud. Dwi'n bum troedfedd dwy fodfedd ac roeddwn i'n arfer bod yn saith stôn. A beth fyddai Clive yn ei wneud yn lle mynd allan? Gwnes fy ngorau i wneud yn siŵr na fyddai'n gwneud niwed i neb arall – roedd nifer fawr o oleuadau a disgiau adlewyrchu ar ei feic, ac roedd Clive ei hun yn debyg i goeden Nadolig. Ac fe wnes i ymateb ar unwaith i'w atal rhag gyrru pan benderfynodd y DVLA nad oedd Clive yn gymwys i yrru car.

Roedd yn rhaid i mi ysgrifennu at bob canolfan ddydd roedd Clive yn mynd iddi i ddweud nad oeddwn i'n eu dal nhw yn gyfrifol am ei ddiogelwch, ac i wneud yn siŵr eu bod yn deall, os oedd Clive yn benderfynol o wneud rhywbeth a'u bod nhw'n methu tynnu ei sylw oddi arno, na ddylen nhw drio'i rwystro. Fel arfer roedd Clive yn berson hapus iawn a oedd yn ddigon hawdd ei 'reoli' (peth ofnadwy i'w ddweud), ond os oedd wedi penderfynu gwneud rhywbeth, roedd am ei wneud ar unwaith cyn yn y byddai'n anghofio. Dyna'r unig bryd yr oedd yn gallu bod yn anodd yn gorfforol. Os oedd Clive am wneud rhywbeth a'ch bod chi yn ei rwystro, byddai'n gwneud ei orau i fynd o'ch cwmpas, ond os byddech chi'n dal i'w rwystro, byddai'n mynd drosoch chi, ac yr oedd wedi bod yn swyddog yn y Fyddin drwy gydol ei oes weithio. Roedd un o'r canolfannau dydd yn agos at archfarchnad fawr ac roedd Clive yn hoffi crwydro o'i chwmpas.

Yn anffodus roedd ffordd brysur rhwng y ddau le. Dewisodd Clive yr agwedd 'mae ceir yn bownsio oddi arna i' a fu ganddo yn ei ddyddiau parasiwtio. Roedd ei wylio yn ddigon i godi gwallt eich pen, ond roedd yn iawn bob tro.

Fe aethon ni i aros gyda'i chwaer am ychydig ddyddiau a gofalu bod beic yno y gallai Clive ei ddefnyddio, a'i fod yn gallu cael hyd i'r ffordd i'r pwll nofio. Yn ffodus, roedd gan y pwll yma hefyd sesiwn 'Boregodwyr'. Aeth Clive i'r pwll ond daeth adref heb ei sanau na'i esgidiau. Roedd wedi llwyddo i gael hyd i weddill ei ddillad ond nid y rhain. Roedd wedi beicio adref (tua 5 milltir) yn droednoeth ym mis Hydref. Fe es i ag ef yn ôl i'r pwll nofio a dod o hyd i'r sanau a'r esgidiau dan gadair yn y caffi. Un felly oedd Clive. Doedd pethau bach fel colli ei sanau a'i esgidiau ddim yn mynd i'w atal rhag gwneud pethau.

Dechreuodd anghofio pryd fyddai wedi cael bath. Byddai wastad yn cael bath ar ôl nofio a chyn cael brecwast; nawr byddai'n aml yn cael bath ar ôl brecwast. Ar y dechrau roedd hyn yn broblem, oherwydd byddai'r dŵr poeth yn mynd yn brin. I arbed arian, fyddwn i ddim ond yn cynhesu'r dŵr yn y bore ac yn y nos. Ond ar ôl nifer o gwynion, ac ar ôl i fi fethu troi ei sylw at rywbeth arall, roedd disgwyl iddo gael bath mewn dŵr oer yn annheg, felly fe newidiais i amserydd y gwres. Weithiau byddai'n cael pedwar bath y dydd – mae hynny'n well na dim bath o gwbl mewn pedwar diwrnod, meddwn i wrthyf fy hun.

Rhoddodd y gorau i ddefnyddio rasel ddiogel hefyd. Ers i fi ei adnabod, roedd Clive wedi eillio gyda dŵr. Byddai'n aml yn eillio ddwywaith y dydd, gan ei fod yn casáu unrhyw fonion locsyn. Roedd wedi trio tyfu barf ar un o'n gwyliau sgio, ond roedd y blewiach yn boenus ar fy lliw haul pan fyddwn yn ei gusanu, ac fe ofynnais i iddo ei eillio. Ar wahân i'r un tro hwnnw, roedd Clive wastad wedi'i eillio'i hun. Ond daeth eillio gyda dŵr yn rhy anodd iddo a dechreuodd ddefnyddio rasel drydan. Yn anffodus, yn aml pan fyddai'n ei glanhau, byddai'n colli'r llafn. Wedyn byddai'n dod ata i gan ddweud yn druenus, 'Helen, dydi hwn ddim yn gweithio.' Dydw i ddim yn gwybod beth oedd dyn y siop yn ei feddwl – byddwn yn prynu llafn newydd unwaith yr wythnos, o leiaf.

Yn raddol, byddai'n eillio fwy a mwy o'i wyneb a'i ben – byddai'r locsys yn mynd yn llai ac yn llai, a dechreuodd siafio'i war. Yn y diwedd roedd ganddo fop o wallt tywyll ar dop ei ben, ac roedd yn hollol ddiflewyn ym mhobman arall, y gwrthwyneb i donsur mynach. Roedd clywed pobl yn trafod ei wallt ffasiynol wrth iddyn nhw fynd heibio iddo yn ddoniol. Fe ddysgais i beidio â dweud dim, fel yr oeddwn i wedi arfer ei wneud pan fyddai'n gwisgo ei ddillad yn y drefn anghywir, neu wedi cau botymau ei grys yn anghywir. Roedd cadw Clive yn hapus ac yn hyderus yn bwysicach o lawer i mi, cyn belled ag oedd hynny'n bosibl.

Rhoddodd Clive y gorau hyd yn oed i esgus darllen. Pan ddechreuodd ei salwch, sylwais ei fod wedi rhoi'r gorau i ddarllen llyfrau ond roedd wedi parhau i ddarllen *The Spectator*, er y byddai'n ei ddarllen yn araf gyda'i fys yn ei arwain ar draws y dudalen. Ond wedyn daeth hynny i ben, hyd yn oed, a fyddai Clive ddim yn agor yr amlen pan fyddai'n cyrraedd. Fe wnes i ganslo'r tanysgrifiad a dwi heb agor copi ohono ers hynny. Rywbryd eto, efallai. Mae'r llyfr olaf iddo'i ddarllen yn dal i fod gen i, *A Distant Mirror* gan Barbara Tuckman, sy'n adrodd hanes y Pla Du. Er gwaethaf argymhellion Clive, dwi heb lwyddo i'w ddarllen. Eto, ryw ddiwrnod, efallai.

Dywedodd un o fy ffrindiau wrthyf i sut y byddai ei gŵr, a oedd â dementia blaenarleisiol (*fronto-temporal dementia*), yn eistedd am oriau'n darllen geiriadur: yn trio ailddysgu'r geiriau roedd yn eu hanghofio. Roedd y ddwy ohonon ni yn ein dagrau.

O'r diwedd, sylweddolodd ein meddyg teulu a'r Gwasanaethau Cymdeithasol y straen oedd ar yr holl deulu, a threfnwyd nifer o gyfarfodydd i adolygu ein sefyllfa. Bydden ni'n cyfarfod unwaith y mis – gyda fy meddyg teulu, athro o ysgol y plant, gweithiwr cymdeithasol Clive a'i ymgynghorydd – ac yn adolygu'r sefyllfa. Gan amlaf, bydden nhw'n penderfynu nad oedden nhw'n gallu gwneud llawer i'n helpu. Wnes i ddim sôn pa mor ddrwg oedd ein sefyllfa. Dydw i ddim yn gwybod a oedd hwn yn ofn synhwyrol neu beidio (a doeddwn i ddim mewn cyflwr i farnu ar y pryd), ond roeddwn i'n poeni y byddai'r 'agwedd swyddogol' yn meddwl mai'r peth gorau i'r plant fyddai eu symud i ofal rhieni maeth. Wedi'r cyfan, dyma'r amser pan oedd teuluoedd yn Sheffield a'r Alban wedi cael eu gwahanu gan weithwyr cymdeithasol a oedd wedi amau, heb unrhyw dystiolaeth, fod y plant yn cael eu cam-drin. Y brif neges i fi o'r cyfarfodydd hyn oedd cadarnhad ein bod ni ar ein pen ein hunain, gan nad oedd neb yn gallu cynnig unrhyw gymorth a fyddai'n dderbyniol i Clive. Byddwn i'n gadael y cyfarfodydd yn aml yn dymuno y bydden nhw'n cael eu canslo ac y byddwn i'n cael yr arian y byddai hyn yn ei arbed i dalu am ddiwrnodau allan neu brydau parod blasus.

Dechreuodd Swydd Rydychen gynllun 'cymorth i ofalwyr' ac fe wnes i gais amdano, ond cafodd ei wrthod y tro cyntaf gan fy mod 'yn gofyn am y math o gymorth y byddai gwarchodwr plant yn gallu ei ddarparu'. Efallai fod hynny'n wir, ond roedd hi bron yn amhosibl cael un y byddai Clive yn fodlon ei adael i mewn i'r tŷ. Fe driais i gael help o'r tu allan gan y gwahanol asiantaethau gofal, ond doedd hyn byth yn fawr o help. Fe ofynnais i un asiantaeth am rywun i nôl y plant o'r ysgol, dod â nhw adref a pharatoi te iddyn nhw, fel y gallwn i aros yn hwyrach yn y gwaith. Doedd yr un cyntaf ddaeth i nôl y plant ddim yn gyrru; roedd car gan yr ail un ond heb wregysau diogelwch yn y seddau cefn. Roedd hynny'n well na dim ac fe arwyddais i ddogfen oedd yn dweud fy mod yn fodlon, ond doedd y gyrrwr ddim yr un mor hapus. Felly roedd yn rhaid i fi barhau i adael y gwaith am 3pm. Roedd fy mhennaeth yn eithriadol o oddefgar.

Roedd hi'n anodd iawn cael rhywun i warchod y plant fel 'mod i'n gallu cael ychydig amser i fi fy hun. Ond o'r diwedd fe ddois i o hyd i wraig arbennig nad oedd ymddygiad rhyfedd Clive yn tarfu arni, ac a oedd yn help mawr i fi a'r plant. Un penwythnos cyn i fi dorri fy nghoes, fe drefnais iddi ddod am ddiwrnod fel y gallwn i fynd i ddeifio. Gan fod rhaid i fi gychwyn yn gynnar i ddal y llanw, bu'n rhaid i fi adael y tŷ cyn iddi gyrraedd. Pan oeddwn yn gyrru heibio Caerwynt canodd fy ffôn symudol. Y warchodwraig oedd yno. Roedd hi wedi cyrraedd ein cartref ac roedd Clive wedi'i hanfon oddi yno gan ei fod e'n gofalu am y plant a doedd mo'i hangen arnyn nhw. Beth ddylai hi ei wneud? Dywedais wrthi am fynd adref. Roedd hi'n methu aros gyda'r plant os nad oedd Clive am iddi fod yn y tŷ. Gadewais y draffordd ar yr allanfa nesaf a gyrru adref. Ar ôl hynny, wnes i ddim trio trefnu diwrnod i fi fy hun.

Roedd nifer o'n problemau gyda'r byd tu allan yn deillio o'r ffaith fod Clive yn edrych yn hollol normal. Os byddech chi'n siarad ag ef, efallai na fyddai wedi deall mwy nag un gair o dri, ond fe fyddai'n gwenu ac yn nodio'i ben fel petai wedi deall y cyfan. Weithiau byddai'n deall rhyw ymadrodd, neu air unigol, a fyddai'n ddigon i'w atgoffa o ryw stori neu'i gilydd. Petaech chi'n treulio mwy o amser gyda Clive, byddech yn sylweddoli bod y straeon hyn yn swnio fel petaen nhw'n dod o recordydd tâp, gyda'r geiriau, y brawddegau a thonyddiaeth ei lais yn union yr un fath bob tro. Byddai ymwelwyr â'r canolfannau dydd yn aml yn meddwl bod Clive yn un o'r staff.

Rhoddodd Clive y gorau i'r sesiynau aciwbigo. Bu'n mynd iddyn nhw am amser hir ac roedd fel petai'n ddigon hapus i barhau â nhw. Clive ei hun oedd wedi trefnu'r sesiynau yn nyddiau cynnar ei salwch, efallai hyd yn oed cyn iddo gael y diagnosis. Fe oedd yn gwneud yr apwyntiadau ei hun, yn mynd yno ac yn dod adref ar ei ben ei hun, yn ogystal â thalu am y sesiynau. Llwyddodd, hyd yn oed, i ddod o hyd i'r feddygfa newydd pan symudodd y meddyg roedd Clive yn ei weld. Fodd bynnag, fe fu digwyddiad amhleserus iawn pan gymerodd Clive gôt rhywun arall yn anfwriadol. Pan sylweddolais i hynny, fe rois i'r gôt yn ôl cyn gynted â phosibl, ond fe ofynnwyd i Clive beidio â mynd yno eto. Roedd hi fel petaen nhw'n credu bod Clive wedi cymryd y gôt yn fwriadol. Roedd hynny'n drueni, ac yn gwneud iddo sylweddoli bod ei salwch yn gwaethygu. Roedd hyn yn torri trefn ei wythnos, ac yn brynhawn arall pan oedd gartref ar ei ben ei hun heb ddim i'w wneud.

Daeth hi'n amlwg bod angen i'r teulu i gyd gael seibiant rhag gofalu am Clive. Roeddwn i'n treulio gymaint o amser yn trwsio pethau – y beic, y rasel drydan – ac yn datrys yr holl ddryswch diddiwedd, doedd gen i ddim amser i'w dreulio gyda'r plant. Felly fe drefnwyd i Clive dreulio penwythnos yn yr ysbyty seiciatrig lleol. Dywedwyd wrth Clive ei bod yn rhaid iddo fynd yno 'i gael profion' ac fe gytunodd, ychydig yn gyndyn. Fe es i â Clive yno un bore Gwener. Edrychai'r hen adeilad Fictoraidd yn lle digon annymunol, gyda'i wardiau hir a rhai cleifion gofidus iawn yr olwg. Fe ges i a'r plant benwythnos da iawn yn gwneud dim byd arbennig, dim ond sgwrsio ac edrych ar y teledu. Pan es i nôl Clive y bore dydd Llun wedyn, roedd mewn hwyl ddrwg iawn. Roedd heb gael yr un prawf; doedd neb wedi dod i'w weld ac roedd pawb wedi'i anwybyddu drwy'r penwythnos. Dyna sut roedd Clive wedi gweld pethau – dwi'n siŵr nad oedd hi cynddrwg â hynny, ond roedd e'n meddwl bod y system yn bod yn wirion a'i fod ef wedi colli ychydig o'r amser oedd ar ôl ganddo gyda'i deulu. Wnaethon ni ddim byd fel hynny eto.

Y tro nesaf fe drion ni gael Clive i fynd i aros gyda'i fam. Ond, unwaith eto, roedd allan o'i gynefin a dwi'n meddwl ei bod hi'n anodd i'w fam ei ddiddanu. Roedd ei chartref ar ochr ffordd brysur iawn ac roedd hi'n poeni'n ofnadwy y byddai Clive yn cael damwain. Roeddwn yn cydymdeimlo â hi a doeddwn i'n synnu dim pan ddywedodd hi nad oedd hi'n barod i'w gael eto.

Rai wythnosau'n ddiweddarach, fe drion ni rywbeth gwahanol. Bwciais benwythnos yng Ngwesty Tontine yn Ironbridge (*tontine* oedd yr enw ar gynllun buddsoddi cynnar lle byddai'r person olaf oedd yn dal i fod yn fyw yn cael yr arian i gyd, felly roedd yr enw'n apelio at fy synnwyr digrifwch tywyll) ac fe drefnodd y Gwasanaethau Cymdeithasol y byddai rhywun yn dod i'r tŷ i baratoi prydau bwyd Clive. Dwi'n methu cofio sut lwyddais i a'r plant i adael. Efallai ein bod ni wedi gadael pan oedd Clive allan, ond mae hynny'n annhebygol. Beth bynnag, byddai wedi bod yn anodd esbonio wrtho ein bod yn mynd i ffwrdd am y penwythnos hebddo. Pam fydden ni am fynd hebddo ar daith deuluol?

Beth bynnag, fe gawson ni amser da yn Ironbridge a chyrraedd adref nos Sul i weld bod Clive a'r tŷ yn dal i fod mewn un darn. Roedd Clive yn methu dweud wrthyf i sut oedd ei benwythnos wedi bod, ond roedden ni i gyd yn hapus o fod gyda'n gilydd unwaith eto. Ond fel popeth arall, wnaethon ni mohono eto. Roeddwn i'n teimlo i ni fod yn lwcus a doeddwn i ddim yn teimlo yn ddigon desbret i fentro hynny eto.

Roedd y cynnig olaf yn llwyddiannus iawn. Roedd un o nyrsys OPTIMA wedi bod mewn cynhadledd ac wedi clywed nyrs arall yn sôn am y cartref gofal roedd hi'n gysylltiedig ag ef. Doedd y cartref ddim i bobl â chlefyd Alzheimer ond yn hytrach i bobl â phroblemau ymddygiad. Roedd yn fach iawn – dim ond pedwar neu bump o bobl oedd yno ar y tro – a'i fwriad oedd darparu digon o weithgareddau corfforol. Fe aethon ni i'w weld; roedd hi fel petai Clive yn hoffi'r lle a chytunodd i ddod i aros 'am wyliau'. Fe arhosodd am bythefnos. Roedd hi'n wyliau haf ac roedd y plant gartref, ond yn lle manteisio ar absenoldeb Clive i fwynhau'r amser gyda'n gilydd, roeddwn i'n teimlo bod angen i fi weithio, felly aeth y plant am wythnos i 'wersyll antur'. Roedd hyn yn drychineb. Roedden nhw'n anhapus yn y gwersyll, ac roeddwn i'n anhapus gartref ar fy mhen fy hun. Gorfodais fy hun i gwblhau'r prosiect roeddwn i'n gweithio arno, ond wnes i ddim ei fwynhau. Wnes i mo'r camgymeriad hwnnw byth eto. Pan es i nôl y plant, fe gytunodd pawb ein bod ni'n gweithio'n well fel triawd nag fel unigolion. A dim rhagor o 'wersylloedd antur'.

Roedd Steve wedi bod yn un o gyd-weithwyr Clive ac wedi dod i fyw yn weddol agos aton ni ar ôl iddo adael y Fyddin – roedd ardal Abingdon yn gyfleus i nifer o ganolfannau'r Fyddin ac roedd sawl un o'i gyd-weithwyr wedi prynu tŷ yn y cylch. Roedd Steve wedi cadw mewn cysylltiad â Clive, ac weithiau byddai'n mynd ag ef allan am ginio, neu i'r dafarn gyda'r hwyr. Gallai weld ein sefyllfa ac fe drefnodd rota o bobl oedd wedi adnabod Clive. Fe ddôi rhywun bob bore dydd Sadwrn i fynd â Clive am dro, neu ar ryw fath o ddiwrnod allan a dod ag ef adref erbyn amser te. Roedd hyn yn fendith wirioneddol. Roedd yn rhoi amser i fi fod gyda'r plant ac i Clive fod gyda'i ffrindiau o'r Fyddin. Diolch yn fawr iawn, Steve, a phob un arall o'r criw.

Llwyddais o'r diwedd i gael disg las parcio i bobl anabl i Clive. Roedd fy nghais wedi cael ei wrthod cyn hynny gan fod Clive yn gallu cerdded am filltiroedd, ond o'r diwedd fe ges i gyngor gan rywun oedd yn deall y drefn ac a oedd yn gallu argyhoeddi'r swyddogion pa mor anabl oedd Clive mewn gwirionedd. Roedd gallu parcio yn agos at siopau a'r canolfannau dydd yn gwneud pethau'n haws o lawer.

Roedd un o'r canolfannau dydd yr âi Clive iddyn nhw yn bell o'n cartref, sawl milltir i ffwrdd a'r ochr arall i Rydychen, bron. Byddai Clive yn cael mwy a mwy o drafferth i gael hyd i'w ffordd yno ac weithiau'n cyrraedd yno mewn pryd i ddim ond troi'n ôl am adref ar unwaith. Roedd y staff yn gofidio'n fawr am hyn ond roeddwn i'n ddigon parod iddo barhau i fynd i'r ganolfan, a threfnwyd i fws mini'r ganolfan ddod i'w nôl. Trafodwyd hyn i gyd â Clive ond dydw i ddim yn credu ei fod wedi deall dim ohono. Pan gyrhaeddodd y bws mini yn y bore, eisteddodd ar y soffa a gwrthododd fynd arno. 'Os na alla i fynd yno ar fy mhen fy hun, dydw i ddim yn mynd.' Methwyd ei ddarbwyllo a dyna ddiwedd ar y ganolfan ddydd honno i Clive.

Roedden ni i gyd yn poeni am fethiant cynyddol Clive i fynd i lefydd roedd wedi arfer mynd iddyn nhw'n ddidrafferth. Byddai wastad yn ffeindio'i ffordd adref ond weithiau byddai i ffwrdd am oriau a doedd neb yn gwybod ble roedd Clive. Soniodd un o nyrsys OPTIMA am ffrind oedd yn ymchwilio i ddefnyddio tagiau radio i ddilyn pobl oedd mewn perygl o fynd ar goll. Roedd hyn yn swnio'n syniad da a chysylltais i â'r ffrind. Roedd yn rhaid iddo wneud yn siŵr na fyddai'r tag yn effeithio ar reoliadur calon Clive ond doedd neb yn meddwl y byddai, felly cytunais i roi cynnig arno. Roedd y ddyfais tua maint pecyn o gardiau ac ar ôl cryn drafod, fe gafodd ei roi ar wregys Clive. Wnes i erioed ei ddefnyddio i ddod o hyd i Clive, ond bu'n rhaid i fi chwilio am y ddyfais sawl gwaith ar ôl i Clive ei gadael ar ôl yn rhywle. Roeddwn i'n teimlo fel twpsyn yn sefyll ar fryn y tu allan i Abingdon, ger y ffordd fawr o Rydychen i Abingdon, yn chwifio pen arall y ddyfais. Roedd yn debyg i erial teledu, tua 50 centimedr o hyd. Llwyddais i ddod o hyd i'r tag a gwregys Clive yn y ganolfan chwaraeon leol ac roedd yn rhaid i fi anfon rhywun arall i mewn i ystafell newid y dynion i'w nôl. Ond roedd cael y ddyfais yn tawelu fy meddwl ynglŷn â dod o hyd i Clive petai'n mynd ar goll.

Daeth y Nadolig ac fe aeth. Ac ychydig wedyn daeth trychineb arall: noswyl Nadolig bu farw ein gwarchodwraig garedig a dibynadwy yn sydyn ac yn annisgwyl o drawiad ar ei chalon. Doeddwn i ddim yn gwybod mewn pryd i fynd i'w hangladd – roedd hi'n byw ar ei phen ei hun a phan ffoniais heb gael ateb, roeddwn i'n credu ei bod hi wedi mynd i dreulio'r Nadolig gyda ffrindiau. Dim ond pan ffoniodd cymydog iddi, oedd wedi dod o hyd i'n rhif ffôn yn ei llyfr cyfeiriadau, y clywais i am ei marwolaeth.

Roedd Clive wedi bod yn mynd i ganolfan ddydd oedd yn cael ei chynnal gan wirfoddolwyr i bobl ag anafiadau i'r pen. Roedd y bobl i gyd yn garedig ac yn abl yn eu gwaith, ond roedden nhw'n dechrau amau a oedden nhw'n gallu gofalu'n iawn am Clive, ac yn y pen draw, fe wrthodon nhw adael iddo ddod i'r ganolfan. Dim ond un ganolfan oedd ganddo wedyn, sef Clwb Alzheimer's Abingdon a gytunodd i'w gael am un diwrnod ychwanegol yr wythnos.

Roedd hi'n aeaf erbyn hyn a'r boreau'n oer, yn dywyll ac yn ddiflas. Roedd beicio i'r pwll nofio yn mynd yn fwy a mwy anodd i Clive a chytunodd un o achubwyr bywyd y pwll, a oedd erbyn hyn yn ffrind da i ni i gyd, i ddod i'w nôl o'r tŷ. Roeddwn i'n poeni y byddai Clive yn gwrthod mynd, ond cafodd John berswâd arno, ac am yr ychydig fisoedd nesaf byddai'n gyrru ymhell allan o'i ffordd bob dydd i fynd â Clive i'r pwll, ac yna'n dod ag ef adref.

Aeth Clive i'r cartref gofal ysbaid am bythefnos arall. Roedd y gangen Alzheimer's lleol wedi talu am ei gyfnod cyntaf yno; y tro hwn roedd yn rhaid i fi dalu, ond roedd hi werth pob ceiniog o'r gost o £800. Ond doedd Clive ddim mor hapus yno y tro hwn. Roedd y tywydd yn waeth a chyfyngwyd ar y gweithgareddau y tu allan, ond roedd Clive yn dal i fod yn barod i fynd yn ôl yno, felly trefnais gyfnod arall ar gyfer gwyliau'r Pasg. Fyddai'r plant ddim yn mynd ar wyliau antur y tro hwn – bydden ni'n treulio'r amser gyda'n gilydd yn y tŷ. Roedd hyn yn wir yn dipyn o foethusrwydd. Erbyn hyn, roeddwn i'n teimlo bod y tŷ yn perthyn yn llwyr i Clive a bod yn rhaid i'r gweddill ohonon ni wneud y gorau medren ni o'i gwmpas.

Un penwythnos gwlyb iawn, fe wnaethon ni ein pethau arferol ar ddydd Sadwrn – siopa yn y bore, taith i Rydychen yn y prynhawn, mynd i'r sinema i weld *Jumanji* (a chefais i fy nychryn yn fwy na neb) ac yna adref gan alw am bitsa ar y ffordd. Ar ôl cyrraedd adref, roeddwn i'n barod i ddechrau dilyn y drefn bath–stori–gwely, ond roedd Clive yn barod am ragor o ymarfer corff. Roedd am fynd am dro. Llwyddais i'w gael i eistedd a gwylio'r teledu tra oeddwn i'n rhoi'r plant yn eu gwelyau, ac yna fe aethon ni am dro byr. Roedd hi'n glawio'n drwm, a doedd dim pafin na golau ffordd yn y pentref, felly fe fuon ni'n sblasio drwy byllau dŵr am filltir neu ddwy cyn troi am adref, cael bath a mynd i'r gwely. Am hanner nos roedd Clive yn effro – roedd am fynd am dro. Llwyddais i'w berswadio i aros lle roedd, a dwywaith eto. Y tro nesaf iddo fy neffro roedd hi'n 4 o'r gloch y bore (ac yn dal i fod yn dywyll ac yn glawio) a'r tro hwn roeddwn i'n methu ei ddarbwyllo i beidio â mynd. Felly dywedais wrtho am fynd ac y byddwn yn ei weld wedyn, ac fe es i'n ôl i gysgu. Camgymeriad mawr.

Pan godais i am 8 o'r gloch doedd dim golwg o Clive. Roedd ei wregys gyda'r ddyfais lwybro ar y gadair. O leiaf roedd hi wedi stopio bwrw glaw. Gyrrais o gwmpas y pentref ond doedd dim sôn amdano. Ffoniais y llefydd mwyaf tebygol iddo fod (roedd rhai o'r canolfannau dydd ar dir ysbytai ac roedd rhywun yno ar fore dydd Sul). Yn y diwedd ffoniais yr heddlu, a oedd yn cydymdeimlo'n llwyr, a daeth rhywun heibio'n gyflym i gael llun o Clive ac i drafod sut i chwilio amdano. Cynigiwyd anfon hofrenydd i chwilio amdano, ond allwn i ddim awgrymu ymhle ddylen nhw chwilio, nac am beth. Erbyn hynny roedd Clive wedi bod ar goll ers rhai oriau, a hyd yn oed yn y tywyllwch, fe allai fod hyd at ugain milltir i ffwrdd. Rywsut, roeddwn i'n methu dychmygu Clive yn gorwedd mewn ffos, wedi torri ei goes.

Daeth y teulu drws nesaf heibio i weld beth oedd yn digwydd a phan ddeallon nhw, roedden nhw'n help mawr iawn. Cymerodd y gŵr y plant (ein plant ni a'u rhai nhw) i fferm leol i weld yr ŵyn, ac fe wnaeth hithau baneidiau o de, a bu'n sgwrsio ac yn annog yn ddi-baid. Llusgodd y diwrnod yn ei flaen yn ddiddiwedd ac yna, wrth iddi ddechrau nosi, ffoniodd heddlu Swindon. Doedden nhw ddim yn gwybod bod Clive ar goll (mae'n debyg nad yw Heddlu Dyffryn Tafwys yn siarad â heddluoedd eraill), ond roedden nhw wedi dod o hyd i'r label gyda fy enw i a fy rhif ffôn i arno, y byddai Clive wastad yn ei gario. Roedd Clive wedi crwydro i'r ffordd fawr i Swindon, wedi troi i'r cyfeiriad anghywir, ac wedi dal i gerdded am tua 30 milltir. Roedd rhyw Samariad trugarog yn Swindon wedi sylwi ei fod yn gloff ac wedi cynnig paned o de iddo. Wrth sylwi ar ei anhawster i siarad, roedd wedi ffonio'r heddlu. Roeddwn wedi bwriadu ysgrifennu at y gŵr caredig hwn, ond dydw i byth wedi gwneud hynny; os ydych chi'n darllen hwn, derbyniwch fy niolch a fy ymddiheuriadau. Oni bai am eich help bryd hynny, mae'n bosibl y byddai Clive wedi diflannu i ganol y dyrfa ddigartref, ac na fydden ni byth wedi gwybod beth oedd wedi digwydd iddo.

Doedd gan yr heddlu ddim car i ddod â Clive adref, felly fe drois i at fy nghymdogion unwaith eto. Fe wnaethon nhw ofalu am y plant tra 'mod i'n gyrru i Swindon, dod o hyd i swyddfa'r heddlu, a gweld

Clive unwaith eto. Roedd e'n falch iawn o fy ngweld a cherddodd yn gloff at y car. Pan edrychais ar ei draed y noson honno, roedd gwadnau ei draed yn bothelli i gyd. Ond fe gododd yn gynnar fore trannoeth a mynd i nofio fel arfer!

Y diwrnod wedyn fe drewais i gefn car arall wrth yrru allan o faes parcio llawn. Roedd hi'n amlwg na allai pethau barhau fel hyn. Roeddwn i prin yn ymdopi pan oedd Clive yn annibynnol am rywfaint o amser bob dydd, ond pan oedd angen i rywun fod gydag ef drwy'r amser i'w gadw rhag mynd ar goll neu gamu o flaen car, roedd hi'n amhosibl. Byddai wedi bod bron yn amhosibl petai neb ond Clive gen i i ofalu amdano, ond roedd fy angen i ar y plant hefyd, a oedd bryd hynny'n wyth ac yn naw mlwydd oed. Roedd Clive i fod i fynd am ofal seibiant ymhen pythefnos; fe ffoniais y cartref gofal, ac fe gytunwyd i gymryd Clive yno'n barhaol. Ffoniais y gwaith a dweud na fyddwn i mewn am y pythefnos nesaf, ac fe ganolbwyntiais i ar osgoi unrhyw drychinebau. Roedd yn rhaid i fi hefyd wnïo enw Clive ar ei holl ddillad, a cheisio dweud wrtho y byddai'r cyfnod gofal yn parhau'n hirach y tro yma.

Fe lwyddon ni i ddal ati tan y diwrnod tyngedfennol. Ches i ddim damwain â'r car. Wnaeth neb syrthio i lawr y grisiau a thorri eu gwddf. Chawson ni ddim tân yn y tŷ a thorrodd neb i mewn. Chawson ni ddim llifogydd na'n taro gan fellten. Fe es i â Clive i'r cartref gofal, a llwyddais i yrru adref heb daro dim byd. Er bod y plant yno i gyfarfod â fi, roedd y tŷ'n teimlo'n wag iawn.

Wrth edrych yn ôl

O ystyried yr amgylchiadau ar y pryd, dwi'n credu ein bod ni wedi gwneud yn arbennig o dda i ddal ati mor hir ag y gwnaethon ni, gyda Clive mor wael. Dwi'n dal i ryfeddu at ei ddewrder a'i allu i ddal ati er gwaetha'r rhwystrau. Er i fi deimlo ar y pryd 'mod i ar fy mhen fy hun, mae'n amlwg 'mod i wedi cael tipyn o help gan gymdogion, pobl OPTIMA, ein meddyg teulu, cyn-gyd-weithwyr Clive a nifer o bobl eraill. Yr hyn nad oedd ar gael oedd help i Clive, a'r rheswm am hynny oedd nad oedd arno eisiau'r math o help oedd ar gael ar y pryd. Doedd dim angen neb i'w helpu i godi, i wisgo amdano, i ymolchi nac i fynd o gwmpas tan y cyfnodau diweddar iawn.

Yr hyn roedd ei angen arno oedd rhywun arall oedd yn gyfarwydd iddo, oedd yn adnabod Clive, oedd yn gwybod am ddementia ac a allai ei helpu i barhau â'i weithgareddau. Roedd angen i'r rhywun hwn allu dod i adnabod Clive, ac i Clive ei adnabod yntau ac ymddiried ynddo, cyn i'w salwch ei amddifadu o'r gallu i ddysgu pethau newydd a ffurfio cyfeillgarwch newydd. Doedd y math yna o help ddim ar gael bryd hynny. Ond mae ar gael erbyn hyn drwy The Clive Project – rhagor am hyn ym Mhennod 9.

Un dydd ar y tro oedd hi. Roedd gan Clive ei drefn ddyddiol a doedd ond angen ychydig eiriau allweddol arno i'w atgoffa o'r hyn ddylai ei wneud. Fe driais i ragweld beth allai fynd o'i le, a sut i'w osgoi. Er enghraifft, roedd pawb yn gofidio am Clive yn beicio. Fe wnes i'n siŵr fod y beic yn cael ei gynnal a'i gadw'n iawn a bod ganddo ddigon o oleuadau a disgiau adlewyrchu. Byddai Clive yn gwisgo helmed bob tro, a thâp adlewyrchu. Gwnïais dâp tebyg ar ei ddillad. Roedd ganddo wastad ddarn o bapur yn ei boced â'i enw, ei gyfeiriad a'n rhif ffôn ni arno.

Deilliodd The Clive Project o'r help roedd Clive wedi'i gael gan ei gyn-gyd-weithwyr ac a drefnwyd i ni gan Steve. Cadwodd Steve gysylltiad â ni (ac mae'n dal i wneud) wrth i salwch Clive waethygu. Llwyddodd i bwyso ar ryw ddwsin o gyn-gyd-weithwyr Clive a'u perswadio i neilltuo ambell ddydd Sadwrn i fynd â Clive am dro. Trefnodd noson holi ac ateb gydag ymgynghorydd Clive a oedd yn gyfle i ddod i wybod mwy am gyflwr Clive a'r trafferthion y byddai'n eu hwynebu. Trefnodd rota, a thrafodai digwyddiadau'r dydd wedyn. Yn ddigon diddorol, enwodd y criw eu hunain yn 'grŵp cymorth' a 'Cyfeillion Clive', a dyna'n union oedden nhw. Byddai rhywun yn galw heibio ganol y bore i nôl Clive ac yn mynd ag ef am dro yn y wlad neu ger yr afon, neu efallai i'r dafarn am ginio cyn dod ag ef adref erbyn amser te. Roedd yn amlwg yn adnabod ei hen ffrindiau ac yn mwynhau'r teithiau. Ar y pryd, doeddwn i ddim hanner mor ddiolchgar ag y dylwn i fod; roeddwn i'n aml yn fyr fy nhymer, yn enwedig gan ei bod yn rhaid i fi fod yn dawel ac yn bwyllog o flaen Clive a'r plant. Diolch yn fawr iawn i bawb o 'Gyfeillion Clive' – rydych chi'n gwybod pwy ydych chi, ac roeddwn yn gwerthfawrogi eich help.

Roedd yn rhaid i nifer o'r canolfannau dydd yr âi Clive iddyn nhw ymestyn eu rheolau er mwyn caniatáu iddo fynd yno. Doeddwn i ddim yn sylweddoli effaith gofalu am Clive arnyn nhw tan yn ddiweddarach, a dwi'n ddiolchgar iawn eu bod yn barod i helpu. Roedd Clive tua'r un oedran â'r staff a'r gwirfoddolwyr yn y canolfannau, ond roedd y bobl eraill a âi yno genhedlaeth yn hŷn. Dywedodd rheolwyr y Clwb Alzheimer wrthyf i, er eu bod i gyd yn gyfforddus yn dal dwylo rhywun hŷn, neu'n rhoi cwtsh iddo, fod gwneud hynny gyda rhywun o'r un oedran â nhw'n wahanol iawn.

Fe fyddai'n dda gen i petai help wedi bod ar gael i'w gwneud hi'n bosibl i Clive aros gartref gyda ni yn hirach. Pan aeth i'r cartref roedd yn dal i fod yn ein hadnabod, a dwi'n credu y byddai hi wedi bod yn bosibl i ni i gyd fwynhau ansawdd bywyd digon da am ychydig fisoedd yn fwy. Ond efallai fy mod yn fy nhwyllo fy hun. Roeddwn yn sicr bron â chyrraedd pen fy nhennyn.

Pennod 7

Cartrefi Nyrsio

Mae'n ddydd Nadolig ac rydyn ni'n ymweld â Clive yn y cartref nyrsio gydag anrhegion iddo. Roedden ni wedi agor ein hanrhegion ni gartref, ac wedi cael brecwast hwyr – mae'r cartref dros awr o daith o'n tŷ ni. Mae'n ddiwrnod heulog braf o aeaf ac roedd carolau'n chwarae yn y car yn ystod y daith. Mae'r cartref nyrsio yn agos at y Twyni ac mae haenen o eira ar y copaon. Rydyn ni'n mynd i mewn ac yn helpu Clive i agor ei anrhegion – siocled a gŵn llofft newydd. Mae'r cartref wedi'i addurno ar gyfer y Nadolig ac yn edrych yn llawen iawn, ond gan mai dim ond un lolfa sydd yn y cartref mae pawb ynddi. Mae ystafell Clive yn rhy fach i ni i gyd, felly rydyn ni'n mynd allan am dro. Mae'r haul yn uchel yn yr awyr las golau ond mae'n ofnadwy o oer. Rydyn ni'n aros yn y parc siglenni am ychydig ond dydi rhedeg o gwmpas y parc ddim yn ein cynhesu, hyd yn oed. Rydyn ni'n crwydro o gwmpas y dref, ond dydi plant ddim yn cael mynd i mewn i'r unig lefydd sydd ar agor. Wedi'r cyfan, mae hi'n ddydd Nadolig. Rydyn ni'n mynd yn ôl i'r cartref ac yn cael paned o siocled poeth, ond dwi mor oer, dwi'n credu na fydda i byth yn gynnes eto. Mae'r plant yn dawel iawn. Mae aelod o'r staff yn mynd â Clive i newid ei esgidiau gwlyb, a thra mae hi wedi tynnu ei sylw, rydyn ni'n mynd i'r car ac yn gyrru adref. Nadolig llawen, bawb.

Roedd Clive wedi bod ddwywaith am gyfnodau byr o ofal seibiant yn y cartref gofal cyntaf; ac roedd i fod i fynd yno am y trydydd tro pan ddechreuodd fynd ar goll pan oedd allan ar ei ben ei hun. Er ei fod yn gyfarwydd â'r cartref, a'r staff yn gyfarwydd â Clive, fe roeson nhw amod newydd wrth gytuno i'w gymryd yn barhaol: am y chwe wythnos gyntaf, doedden nhw ddim am iddo gael cysylltiad ag unrhyw un o'i deulu na'i ffrindiau. Yr esboniad oedd mai er mwyn ei gael i ymgartrefu'n iawn roedden nhw'n gwneud hyn a dyma'u trefn arferol. Doeddwn i ddim yn hapus, ac o edrych yn ôl, dwi'n difaru cytuno, ond roedd y cartref yn mynnu. Roedden nhw'n meddwl y byddai cysylltiad â'i gartref yn ei gwneud hi'n anodd i Clive setlo yno, ond Clive oedd eu preswylydd cyntaf oedd â dementia. Roedd y preswylwyr eraill i gyd wedi dioddef trawma mawr ac roedden nhw yno i gael eu dysgu sut i fyw mewn cymdeithas unwaith eto; roedd Clive yno i gael rhywle diogel a gweithgar i fyw. Petai'n gallu dysgu sgiliau newydd, ni fyddai'n rhaid iddo fod yno o gwbl. Ond doedd gen i ddim dewis. Roedd hi'n amhosibl i bethau barhau gartref fel yr oedden nhw, ac roeddwn i heb ddod o hyd i unrhyw le arall a fyddai'n ystyried cymryd Clive, nac y byddwn i wedi'i ystyried yn addas ar ei gyfer. Felly cytunais. Gadewais Clive yn y cartref a dechrau gyrru'r 50 milltir adref. Roeddwn wedi trio esbonio'r sefyllfa wrtho, ond roedd hi'n amlwg nad oedd yn deall. Mae'n siŵr ei fod yn teimlo ein bod ni i gyd wedi'i adael a'i fradychu.

Aeth y chwe wythnos heibio yn gyflym iawn i fi. Roeddwn mor flinedig ac yn teimlo bod popeth wedi fy ngorchfygu – y cyfan y gallwn i ei wneud oedd goroesi pob dydd. Gwahoddodd un o nyrsys OPTIMA fi i gael swper gyda hi; wedyn fe gawson ni goffi ac fe ymunais i â nhw i wneud jig-so. Roeddwn i wedi anghofio ei bod hi'n bosibl cael nosweithiau felly; roedd hyn yn tanlinellu gymaint roedd fy mywyd wedi newid yn ystod y ddwy neu dair blynedd ddiwethaf. Roedd hi bron yn amhosibl i fi gymdeithasu'n normal. Hefyd, cymerais wythnos gyfan o wyliau i fynd i ddeifio yn y Môr Coch. Cyflwynodd staff y cartref nyrsio fi i'r grŵp deifio. Roedden nhw'n gwybod fy mod yn deifio gan ein bod ni wedi trafod mynd â Clive i ddeifio yn ystod un o'i ymweliadau gofal seibiant. Roedd hi'n adeg tymor ysgol, ac mae gen i gywilydd dweud 'mod i wedi trefnu i'r plant aros gyda ffrindiau ysgol. Am wythnos fe fues i'n byw ar gwch deifio, yn deifio bedair neu bum gwaith y dydd, yn bwyta ac yn darllen pan nad oeddwn i'n deifio, ac yn cysgu o dan y sêr. Hwn oedd fy nghysylltiad cyntaf â deifio a deifwyr ers i fi anafu fy mhigwrn, ac oedd yn falm i fy enaid. Roeddwn i wedi anghofio am fodolaeth y fath lefydd a'i bod hi'n bosibl o hyd i fi ymweld â nhw. Fe es i â Mam a'r plant yn ôl i'r Môr Coch ym mis Hydref, ond dwi'n dal i ddifaru eu gadael nhw gartref yr wythnos honno. Ond roedd angen y seibiant arna i.

Rywbryd yn ystod y chwe wythnos, ffoniodd staff y cartref fi i ofyn pa weithgareddau roedd Clive yn hoffi eu gwneud ar ei eistedd. Dywedais wrthyn nhw nad oedd Clive yn un i eistedd os oedd yn gallu symud. Byddai'n darllen tipyn, ac yn gwrando ar y radio, ac fe fydden ni yn chwarae Scrabble, ond doedd Clive byth yn un i wneud jig-so nac i chwarae cardiau. Fe driodd y cartref ei gael i wneud modelau, ac mae'r darnau i wneud llong fodel gen i o hyd i fyny'r grisiau, ond mae prin wedi'i ddechrau.

Ar ddiwedd y chwe wythnos fe es i weld Clive. Bryd hynny roeddwn i'n dal i obeithio y byddai'n gallu dod adref, felly roeddwn am iddo barhau i gael rhyw gysylltiad â'n tŷ ni a'r pentref lle roedden ni'n byw. Fe gychwynnais i ar ôl danfon y plant i'r ysgol, nôl Clive a dod ag ef adref. Aeth y ddau ohonon ni i nôl y plant o'r ysgol a threulio'r noson gyda'n gilydd; drannoeth aeth y ddau ohonon ni â'r plant i'r ysgol, yna aeth Clive a fi am dro gyda'n gilydd cyn i fi fynd ag ef yn ôl i'r cartref.

Ar ôl rhai wythnosau roedd y bobl yn y cartref yn awyddus i fi esbonio i Clive y byddai'n aros yno am beth amser. Felly, fe drefnais i rywun (Mam, fwy na thebyg, er nad ydw i'n cofio'n iawn) aros gyda'r plant, fes ges i le gwely a brecwast braf yr olwg yn weddol agos at y cartref, a chychwyn eto. Fe es i nôl Clive a mynd am dro ar y Twyni, dod o hyd i'r lle gwely a brecwast, mynd am dro eto, mynd i dafarn am swper ac fe dreulion ni noson dawel, hyfryd gyda'n gilydd. Roedd hi'n ganol haf a'r tywydd yn gynnes a braf. Fe driais i esbonio wrth Clive fy mod i'n dal i fod yn ei garu ond bod gofalu amdano gartref yn ormod i fi. Dydw i ddim yn siŵr a oedd wedi deall; os oedd, dwi'n siŵr na fyddai'n cytuno. Roedd Clive mor annibynnol, fyddai e ddim yn derbyn nad oedd yn gallu gofalu amdano'i hun. Beth petai'n mynd ar goll pan oedd allan – a oedd unrhyw ots? A oedd gennyn ni hawl i'w garcharu yn erbyn ei ewyllys, er ei les ei hun? Mae'n biti na fyddwn i wedi gallu cael y sgwrs honno gydag ef cyn iddo fynd yn sâl; nawr roedd yn rhaid i fi wneud y gorau ohoni dan yr amgylchiadau. Beth bynnag, drannoeth fe es i â Clive yn ôl i'r cartref; fe gerddodd i mewn ac fe yrrais i adref.

Roedd y cartref wedi gwrthod defnyddio'r ddyfais lwybro. Roedd tipyn o drafod yr adeg honno am ddefnyddio technoleg yn lle pobl mewn cartrefi gofal, a dwi'n credu eu bod nhw'n teimlo y byddai defnyddio'r ddyfais wedi adlewyrchu'n wael ar y cartref. Roedden nhw hefyd yn poeni y byddai'r ddyfais yn amharu ar reoliadur calon Clive, gan nad oedd neb yn gallu eu sicrhau na fyddai hyn yn digwydd. Trefnwyd rhaglen o weithgareddau i Clive a oedd yn cynnwys nofio bob bore, llawer o gerdded ac ymweliadau â Llundain. Fe fuon nhw hefyd yn sôn hyd yn oed am drefnu sesiwn deifio, ond dydw i ddim yn credu bod hynny wedi bod yn bosibl. Ond trefnwyd iddo fynd i gleidio ac ymweld â glan y môr. Mae gen i luniau ohono yn ymyl y *Cutty Sark*, ar y traeth yn Brighton a ger Morglawdd Afon Tafwys. Ond roedd Clive am fod gartref, a gallai fod yn benderfynol iawn. Fe ddes yn gyfarwydd â chael galwadau ffôn oedd yn dweud, 'Helen, rydyn ni wedi colli Clive'. Fel arfer, fe fydden nhw'n dod o hyd iddo yn weddol gyflym, ond un tro llwyddodd i gael reid mewn car a theithio 20 milltir cyn iddyn nhw ddod o hyd iddo. Dro arall roedd allan bron iawn drwy'r nos. Fe fyddwn i'n mynd i'w weld yn weddol aml, ond roedd hi'n daith o gan milltir yno ac yn ôl bob tro, a dwywaith hynny os oedd Clive yn dod adref gyda fi. Ar un daith torrodd y car i lawr, ac roedd Clive ar fin cerdded i ffwrdd ar hyd cylchffordd Rhydychen pan ddechreuodd yr injan eto, diolch byth. Roedd hi'n ddiwrnod gwlyb iawn a dwi'n credu bod system drydan y car wedi gwlychu.

Un bore canodd y ffôn yn union am 6 o'r gloch. Y cartref oedd yno'n gofyn a allwn i gael gair gyda Clive. Roedd mewn gwewyr ac wedi bod yn effro drwy'r nos, oherwydd roedd wedi penderfynu fy mod i'n mynd i'w ysgaru. Fe driais i dawelu ei feddwl dros y ffôn a chyn gynted ag yr oedd y plant yn yr ysgol, ffoniais y gwaith i ddweud na fyddwn i'n mynd i mewn. Fe yrrais i draw i'w weld, a threulio'r diwrnod gyda Clive yn dal ei law ac yn trio dangos fy mod yn dal i fod yn ei garu. Ond, wrth gwrs, roedd yn rhaid i fi ei adael yno a mynd adref at y plant. Mae'n amhosibl cyfleu'r anobaith a'r tristwch roeddwn i'n ei deimlo wrth adael. Roeddwn i am fod gyda Clive, gofalu amdano, dangos fy mod yn dal i fod yn ei garu a gwneud y mwyaf o'r amser oedd yn weddill i ni. Ond eto, roeddwn i am fod gyda'r plant, ac roedd fy angen i arnyn nhw hefyd. Llwyddais i yrru adref heb daro dim, a oedd yn dipyn o ryfeddod. Roedd ymddygiad Clive yn dangos ei fod yntau'r un mor anhapus, ac nad oedd yn gallu deall pam roeddwn i'n achosi cymaint o loes iddo.

Roedd y cartref yn fach iawn, ac mewn tŷ cyffredin i deulu. Dyma un o'r rhesymau dros ei ddewis, gan ei fod yn debyg i'r amgylchedd a oedd yn gyfarwydd i Clive. Roedd hyn yn golygu mai dim ond un lolfa oedd yno i'r staff a'r preswylwyr, ac felly doedd dim llawer o breifatrwydd yn ystod ein hymweliadau. Roeddwn i'n dal i ddod â Clive adref am ymweliadau, ac yn ystod gwyliau'r ysgol fe fydden ni i gyd yn mynd ag ef yn ôl i'r cartref. Doedd Clive ddim yn hoffi cael ei adael yno – roedden ni'n gorfod aros tan y byddai rhywun yn gallu tynnu ei sylw, neu'n mynd ag ef allan am dro, cyn y gallen ni sleifio oddi yno a gadael yn gyflym. Roeddwn yn aml yn meddwl beth oedd effaith ymweliadau fel hyn ar y plant – heb gyfle i ffarwelio'n iawn, a'r twyll oedd ynghlwm â nhw. Roeddwn i'n teimlo'n ofnadwy yn gorfod gwneud hynny, a dwi'n dal i deimlo felly, ond yr unig ddewis arall oedd peidio ag ymweld o gwbl, ac roedd hynny'n waeth o lawer. Dwi wedi holi'r plant am hyn ers hynny, ond dydyn nhw ddim yn barod i sôn am unrhyw beth sy'n gysylltiedig â salwch Clive.

Wrth i Clive waethygu, fe rois i'r gorau i ddod ag ef adref, ond yn hytrach fe fyddwn i'n treulio'r diwrnod gydag ef ac yn mynd ag ef am dro ac i dafarn am ginio. Fe dreuliodd y ddau ohonon ni sawl awr yn cerdded ar y Twyni, yn gwylio gleiderau o glwb lleol. Un diwrnod, roedd Clive yn teimlo'n gariadus iawn, ac ar ôl i ni ddychwelyd i'r cartref aeth y ddau ohonon ni i'w ystafell wely. Roedd cerdded allan wedyn heibio'r staff a'r preswylwyr eraill oedd i gyd yn edrych i'r cyfeiriad arall yn un o'r profiadau sydd wedi achosi'r mwyaf o embaras yn fy mywyd. Clive oedd fy ngŵr ac er ein bod ni'n briod ers 25 mlynedd, roeddwn i'n teimlo fel putain rad a diwerth.

Ym mis Medi roedd pen-blwydd ein priodas – 25 mlynedd. Doeddwn i ddim yn siŵr beth ddylwn i ei wneud; doeddwn i ddim am esgus nad oedd yn ddim ond diwrnod arall, ond ar yr un pryd doeddwn i ddim yn credu y gallai Clive ymdopi â dathliad mawr. Ar ôl cryn bendroni ac ymgynghori â ffrindiau, fe es i ymweld â Clive a mynd ag ef am dro ac wedyn am ginio mewn tafarn. Yna fe es i â'r plant i Lundain i gael penwythnos heb ei ail. Fe gyrhaeddon ni'r gwesty nos Wener ac yna mynd i weld y sioe gerdd *Oliver* o'r rhes flaen. Drannoeth profodd y plant y rhyfeddod o archebu bwyd drwy wasanaeth ystafell y gwesty, ac fe ges i frecwast blasus wedi'i goginio gan rywun arall, a llonydd i'w fwyta. Yna fe aethon ni i weld cymaint o atyniadau Llundain â phosibl. Ac ar y nos Sadwrn fe aethon ni i weld cynhyrchiad Jonathan Miller o'r *Mikado* gan Gwmni Opera Cenedlaethol Lloegr. Er nad oedd y dathliad fel yr un y byddwn wedi'i ddychmygu 25 mlynedd yn ôl, eto roedd yn ddathliad da.

Drwy gydol hyn i gyd, roeddwn i hefyd yn dadlau â'r Gwasanaethau Cymdeithasol ynglŷn â thalu am y cartref nyrsio. Er i bawb (yr ymgynghorwyr, ein meddyg teulu a gweithiwr cymdeithasol Clive) gytuno ei fod yn rhy sâl i barhau i fyw gartref, roedd disgwyl o hyd iddo dalu am ei ofal o'i bensiwn. Fe lenwais i holiadur y Gwasanaethau Cymdeithasol, fel roeddwn i fod i'w wneud, ac ymhen ychydig wythnosau fe ges i eu hasesiad. Gan nad oedd Clive bellach yn byw gartref, roedd y Fyddin eisoes wedi lleihau ei hawl i dâl anabledd. Roedd gen i hawl i gael hanner pensiwn sylfaenol Clive, doedd gan y plant hawl i ddim. Roedd y Gwasanaethau Cymdeithasol wedi rhoi swm bach, bach, tuag at eu gofal, ac yn bwriadu mynd â'r gweddill (hanner pensiwn sylfaenol Clive ynghyd â'r holl daliadau ychwanegol roedd y Fyddin wedi'u rhoi iddo oherwydd ei salwch) i dalu ffioedd y cartref nyrsio. Roedd hyn yn hollol annheg. Mewn rhannau eraill o'r Deyrnas Unedig roedd gan ysbytai welyau arbennig i bobl fel Clive, ond roedd Swydd Rydychen wedi aildrefnu ac wedi eu cau nhw i gyd. Roedd yn rhaid i fi ymladd yn erbyn y penderfyniad, neu fod heb fawr ddim arian ar gyfer magu'r plant. Dydw i ddim yn cofio pwy soniodd wrthyf i am Community Care Rights, elusen leol a sefydlwyd gan Sefydliad Joseph Rowntree, ac a achubodd fy mywyd.

Drwy'r elusen hon, dysgais am y Ddeddf Gofal yn y Gymuned a oedd wedi'i llunio ar gyfer achosion tebyg i un Clive, ond doedd gweithiwr cymdeithasol Clive erioed wedi clywed amdani. Cefais help yr elusen i gasglu'r dystiolaeth angenrheidiol i ddangos mai'r GIG ddylai dalu am ofal Clive; fe wnaethon nhw fy nghynrychioli i yn y gwrandawiad (a ohiriwyd droeon) a gyfarfu o'r diwedd i ystyried achos Clive, a llwyddo i sicrhau cytundeb mai'r GIG fyddai'n talu costau gofal Clive. Roedd ymladd y frwydr hon, a barodd o fis Mawrth, pan aeth Clive i'r cartref, tan ganol mis Awst, yn dreth ar fy amser ac ar fy egni. Ac er bod y penderfyniad hwn yn golygu y byddai holl filiau Clive yn cael eu talu o hynny ymlaen, fe driodd y Gwasanaethau Cymdeithasol fy nghael i i dalu am ei ofal tan y gwrandawiad. Fe gymerodd hi chwe mis arall cyn iddyn nhw gytuno bod oedi annheg wedi bod ar eu rhan nhw cyn gwrandawiad Clive, ac na fydden nhw'n disgwyl i fi dalu'r biliau. Roeddwn i eisoes wedi talu'n llawn am bythefnos gyntaf gofal Clive, gan fy mod i wedi trefnu hynny cyn cysylltu â'r Gwasanaethau Cymdeithasol. Ers hynny dwi wedi clywed y dylwn fod wedi gallu hawlio ychydig o help gyda'r holl gostau teithio roedd yn rhaid i fi eu talu, ond wnes i erioed ddarganfod sut.

Mae yna ddeuoliaeth ryfedd yn Lloegr fod triniaeth mewn ysbyty yn rhad ac am ddim i'r sawl sy'n ei chael, ac os nad yw'n bosibl i rywun â dementia barhau i gael gofal gartref a'i fod yn cael gofal yn yr ysbyty lleol yn lle hynny, does ddim rhaid iddo dalu. Ond os yw'r ysbyty wedi cau'r gwelyau a arferai fod ar gael, fel bod y gofal yn cael ei roi mewn cartref nyrsio, mae'n rhaid talu am y gofal hwnnw. Gan fod angen cryn ofal yn aml ar berson ifanc â dementia, gall hyn fod yn gostus iawn. Pan gyflwynwyd y drefn hon gyntaf, os oedd pensiwn gan yr un mewn gofal, fe allai'r cartref nyrsio ei hawlio i gyd i dalu'r ffioedd. Ar ôl nifer fawr o gwynion am annhegwch y sefyllfa, cyflwynwyd rheol newydd a oedd yn caniatáu i bartner yr un mewn gofal gael hanner y pensiwn i'w gynnal. Ond gan mai ychydig o bobl yn y sefyllfa hon oedd â phlant, fwy na thebyg, ni roddwyd unrhyw hawl debyg ar gyfer plant. Mae hyn yn dal i fod yn wir.

Er bod pethau wedi gwella ers pan aeth Clive i gartref gofal gyntaf, dwi'n dal i gyfarfod â phobl mewn cynadleddau a thrwy The Clive Project sy'n dal i gael yr un pryderon a thorcalon ag y cefais i.

Mae'n boenus iawn gorfod cyfaddef bod angen mwy o ofal nag y gallwch chi ei roi ar yr un roeddech chi wedi bwriadu treulio gweddill eich bywyd yn ei gwmni, ac mae gorfod talu am y gofal hwnnw yn rhoi halen ar y briw.

Roedd hi'n aeaf eithriadol o oer y flwyddyn honno; daeth yr eira cyn y Nadolig ac arhosodd y rhew peryglus dan draed ymhell i mewn i fis Ionawr. I wneud pethau'n waeth, yn ogystal ag absenoldeb staff oherwydd gwyliau'r Nadolig, bu epidemig ffliw a olygai llai fyth o staff. Nid oedd digon o staff yn y cartref i fynd â Clive allan am dro, a beth bynnag, roedd hi'n rhy beryglus i gerdded i unrhyw le oherwydd y rhew. Ond roedd hi'n amhosibl esbonio hyn i Clive a oedd am fynd allan am dro yn ôl ei arfer. Gan fod y cartref yn dŷ cyffredin roedd iddo ddrws ffrynt a drws cefn. Roedd Clive am fynd allan ond doedd neb ar gael i fynd gydag ef, a doedd hi ddim yn ddiogel i adael iddo fynd ar ei ben ei hun. Doedd hi ddim yn bosibl tynnu ei sylw, felly clowyd y ddau ddrws. Doedd hi erioed wedi bod yn syniad da i atal Clive yn gorfforol rhag gwneud rhywbeth roedd ef am ei wneud, a dylid bod wedi rhagweld ei ymateb: cydiodd mewn diffoddwr tân a thorri drwy'r drws.

Wrth gwrs, roedd hyn yn hollol annerbyniol ac roedd hi'n ddigon hawdd rhagweld ymateb y staff a'i ddeall: rhoddwyd dosau mawr o foddion i'w dawelu a'i gwneud hi'n haws ei reoli.

Roeddwn i eisoes wedi dechrau chwilio am gartref arall cyn i hyn ddigwydd. Hwn oedd y cartref gorau oedd ar gael i Clive ar y pryd, ond wrth i'w salwch waethygu roedd ei allu i ddeall beth oedd yn digwydd o'i amgylch, ac ymateb yn briodol iddo, dipyn yn llai nag oedd naw mis cyn hynny. Clive oedd yr un cyntaf â dementia roedd y cartref wedi gofalu amdano, a doedden nhw ddim yn gwybod yn iawn sut i ofalu amdano. Roedd y daith yno'n faith hefyd, a doedd dim llawer o breifatrwydd pan fyddai'r teulu'n ymweld ag ef. Awgrymodd pobl OPTIMA, a oedd bob amser yn help mawr, y dylwn fynd i weld cartref arall ger Banbury.

Roedd y cartref hwn mewn tŷ mawr mewn pentref bach. Roedd yn benodol i bobl â dementia, ac er bod y rhan fwyaf o'r preswylwyr yn hŷn o lawer na Clive, roedd y perchennog a'r staff yn siŵr y bydden nhw'n gallu ymdopi. Roedd yn rhaid iddyn nhw wneud cais arbennig i'w gael yno gan ei fod dan 65 oed (roedd e'n 49 erbyn hyn). Roedd ganddyn nhw hefyd bolisi a oedd yn apelio'n fawr ata i, sef peidio â defnyddio cyffuriau'n amhriodol. Fe es â Clive i weld y cartref, ac eto does gen i ddim syniad faint roedd yn ei ddeall o'r hyn oedd yn digwydd, ond roeddwn i'n credu ei bod hi'n werth symud. Rhoddodd y cartref newydd ystafell fawr iddo gyda'i hystafell ymolchi ei hun, mewn adeilad newydd oedd ynghlwm wrth y prif dŷ. Fe wnaethon nhw hyd yn oed chwilio am feic ymarfer, rhag ofn y byddai Clive yn cofio sut i feicio.

Fe es i â lluniau a phethau cyfarwydd o'n cartref i wneud i'w ystafell fod mor gyfarwydd â phosibl. Cytunodd y Gwasanaethau Cymdeithasol i dalu am y cartref newydd, a hyd yn oed i dalu am y ddau gartref am bythefnos rhag ofn na fyddai Clive yn hapus yn y lle newydd. Cafodd ei drosglwyddo ym mis Chwefror. Roedd y gaeaf yn dal i fod yn oer a chaled ond roedd y gwanwyn ar ei ffordd. I fi roedd y cartref yn wych o'r dechrau a dwi'n credu bod Clive yn hapusach hefyd. Roedd hi'n llawer haws ymweld ag ef; hanner awr o daith, fel arfer, yn hytrach na bron awr, ac roedd y daith yno dipyn yn haws hefyd. Roedden ni'n gallu ymweld â Clive heb weld neb heblaw am y staff, ac roedd digon o le yn ei ystafell i'r teulu i gyd eistedd. Pan oedd y tywydd yn ddrwg, roedd sawl lle yn y tŷ ei hun lle gallai Clive gerdded heb amharu ar neb, ac roedd gerddi mawr a chaeau agored o gwmpas y tŷ yr adeg honno. Roedd yn agos at y ffordd fawr drwy'r pentref a allai fod yn brysur iawn yn y bore a fin nos, ond roedd llwybr hir a chlwyd yn y pen draw i rwystro pobl rhag crwydro allan y ffordd honno. Roedd y staff yn y cartref yma hefyd yn barod i ddefnyddio'r ddyfais lwybro. Felly aeth yr academydd o Rydychen oedd y tu ôl i'r cynllun, gyda'r gwregys a'r erial, i ddangos i'r staff sut roedd y ddyfais yn gweithio.

Byddwn yn ymweld â Clive unwaith yr wythnos ar fy mhen fy hun, ac os oedd y tywydd yn ffafriol byddwn yn mynd ag ef am dro. Bydden ni'n aml yn mynd at gamlas Rhydychen lle roeddwn yn siŵr na fyddwn i'n mynd ar goll. Pan fydden ni'n mynd yno gyntaf, roedd y cychod cul wedi eu rhewi yn y dŵr a byddai aroglau hyfryd mwg tân coed yn codi i'r awyr o'r cychod roedd pobl yn byw arnyn nhw. Yn raddol toddodd y rhew a'i gwneud hi'n bosibl i ni gerdded ymhellach. Dechreuodd y coed a'r llwyni lasu unwaith eto ac yna cyrhaeddodd y gwenoliaid. Roeddwn wrth fy modd yn eu gweld yn hedfan ar hyd y gamlas ac yn disgyn i'r dŵr i yfed, ac yn troelli mewn arddangosfa hyfryd o hedfan dan reolaeth, wrth hela pryfed. Tyfodd briallu a charn yr ebol ar hyd y geulan fwdlyd ac yna llygad y dydd a glesyn y coed. Dechreuodd y dail poethion a'r drain yn y cloddiau dyfu ar draws y llwybr, gan ein gorfodi i gerdded y naill tu ôl i'r llall. Wn i ddim am Clive, ond roedd mynd am dro fel hyn yn rhoi rhyw fath o dawelwch i fi; dwi'n credu ei fod yntau'n teimlo'r un peth. Weithiau byddai'n brasgamu ymlaen, ond fel arfer cerddai'n agos ata i ac weithiau, pan oedd digon o le i ni gerdded ochr yn ochr, cawn ddal ei law. Yn sicr, roedd Clive bob amser yn hapus i ddod allan gyda fi. Wrth i'r haf fynd yn ei flaen, byddwn yn aml yn mynd i swyddfa bost y pentref lle byddwn i'n parcio'r car, yn prynu hufen iâ ac yn eistedd ar fainc gyfagos i'w fwyta a gorffwys ein traed blinedig. Un diwrnod bythgofiadwy, fe gerddon ni i Banbury ac yn ôl. Mae'r M40 yn croesi'r gamlas ar bont anferth, gan roi gwrthgyferbyniad diddorol rhwng yr hen a'r newydd.

Gan amlaf ar y penwythnosau byddwn yn ymweld gyda'r plant. Weithiau fe fydden ni i gyd yn cerdded at y gamlas, neu o gwmpas y pentref, neu'n gwneud dim mwy nag aros yn ystafell Clive neu yng ngerddi'r cartref. Yn aml roedd preswylwyr eraill hefyd yn y gerddi a gallai eu hymddygiad fod yn rhyfedd, ond eto doedd hyn ddim fel petai'n achosi gofid na phryder i'r plant o gwbl. Unwaith fe anghofiais i gloi'r car, a phan aethon ni'n ôl ato, roedd yn llawn hen wragedd annwyl yn disgwyl yn eiddgar i fynd am dro.

Roedd Clive yn dal i grwydro, naill ai i lawr llwybr y tŷ a heibio'r glwyd, neu dros y wal gerrig chwe throedfedd o uchder oedd o gwmpas yr ardd. Fel arfer byddai'n gwisgo ei wregys a gallai'r staff ddod o hyd iddo'n weddol gyflym. Dim ond iddo fod yn ddiogel, bydden nhw'n gadael iddo gerdded am ryw awr cyn gyrru ar ei ôl a 'digwydd' dod ar ei draws a chynnig mynd ag ef adref. Erbyn hynny byddai wedi blino ac yn falch o'r cynnig.

Yn anffodus, un Pasg fe aeth allan heb ei wregys a doedd neb yn gallu cael hyd iddo. Ar ôl iddi ddechrau nosi, ffoniodd y cartref i ddweud wrthyf i ac arhosais i wrth y ffôn ar bigau drain.

Roeddwn i, fy mam a'r plant yn mynd ar ein gwyliau i America drannoeth i ymweld â pherthnasau. Roedd popeth wedi'i drefnu ac roedden ni i fod i adael yn gynnar yn y bore. Gwibiodd yr holl bosibiliadau drwy fy meddwl. Roedd Rachel yn 9, Alan yn 8 a Mam yn 77. Er eu bod nhw i gyd yn hyderus ac yn abl, allwn i ddim eu gweld nhw'n mynd i'r maes awyr ac yn croesi'r Iwerydd gyda'u holl fagiau ar eu pen eu hunain. Roedd ein perthnasau yn America tua'r un oedran â Mam ac roedd un ohonyn nhw eisoes yn dechrau dangos olion cynnar clefyd Alzheimer. Yn gyndyn, fe benderfynais os oeddwn i'n methu mynd, allai'r plant ddim chwaith. Roedden ni'n methu newid ein tocynnau, felly os na fydden ni'n mynd drannoeth, fydden ni ddim yn mynd o gwbl. Doedd ein hyswiriant ddim yn cynnwys canslo o ganlyniad i gyflwr oedd yn bodoli eisoes. Canodd y ffôn ychydig cyn 11 o'r gloch. Roedd Clive wedi crwydro filltiroedd o'r cartref ac wedi mynd ar y ffordd ddeuol brysur rhwng Banbury a Northampton. Roedd yn cerdded ar hyd ymyl y ffordd yn y tywyllwch ac roedd hi bron yn amhosibl ei weld a chafodd ei daro gan lorri. Yn ffodus, dim ond drych ochr y lorri oedd wedi'i daro ac roedd y gyrrwr wedi stopio ar unwaith a ffonio'r heddlu. Roedd Clive yn Ysbyty Banbury ac wedi torri ei fraich. Unwaith eto, teimlwn fy mod yn cael fy rhwygo'n ddau. Roeddwn i wir am fynd i weld Clive, i wneud yn siŵr ei fod yn iawn ac i ddal ei law. Roedd metron y cartref yn yr ysbyty ac roedd hi yn fy annog yn daer i beidio â dod. Roedd Clive wedi cael tabledi i'w dawelu ac roedd yn cysgu'n dawel. Ar wahân i'w fraich roedd e'n iawn. Roedd y toriad yn un glân a byddai'r ysbyty yn ei adael i fynd yn ôl i'r cartref drannoeth. Fe lwyddodd hi i fy mherswadio ac aeth y pedwar ohonon ni drannoeth i America.

Fe gawson ni wyliau da ac ymweld â nifer o lefydd diddorol yn Washington – y Tŷ Gwyn, y Trysorlys, Cofeb Vietnam ac Amgueddfa'r Gofod – ond yr ymweliad mwyaf cofiadwy oedd mynd â Rachel ac Alan i Ddyffryn Shenandoah. Roedd Clive a minnau wedi treulio ychydig ddyddiau hudolus yno 20 mlynedd yn ôl ac roedd yr hud yn dal i fod yno. Yn anffodus, doedd y tywydd ddim cystal â phan oedd Clive a minnau yno. Y diwrnod cynt, roedden ni wedi bod yn eistedd ar y patio yn ein crysau T; yn Shenandoah roedd hi'n bwrw eira a'r gwynt yn ddychrynllyd o oer. Dydw i ddim yn credu ei fod yn un o hoff lefydd y plant, ond fe af i â nhw yno eto pan fydd y tywydd yn debygol o fod yn well.

Ar ôl dod adref, fe aethon ni i weld Clive. Roedd yn edrych yn dda iawn, heblaw am y plastr am ei fraich. Hwn oedd y trydydd un iddo'i gael; doedd Clive ddim yn rhy hoff o gael plastr ac roedd wedi dinistrio'r ddau gyntaf yn ystod y deg diwrnod roedden ni wedi bod i ffwrdd. Er bod pethau'n ymddangos yn iawn, yn ystod y dyddiau nesaf sylweddolais nad oedd iddo'r un natur ysgafn, ffwrdd-â-hi. Roedd yn rhaid i ni fynd i Rydychen i gael golwg ar sbectol Clive a phan gafodd ei amgylchynu gan dyrfa o bobl, defnyddiodd y fraich â'r plastr i glirio'r ffordd o'i flaen. Ni chafodd neb ei anafu, diolch byth, ond roeddwn i wedi dychryn yn fawr. Roeddwn i'n difaru'n fwy nag erioed nad oeddwn i wedi mynd i'w weld yn yr ysbyty ar ôl y ddamwain. Efallai na fyddai hynny wedi gwneud unrhyw wahaniaeth, ond allwn i ddim gweld bai arno os oedd Clive yn meddwl fy mod wedi'i adael ar ei ben ei hun.

Ychydig yn ddiweddarach fe gyrhaeddais i adref un diwrnod a chael neges ar y peiriant ateb yn gofyn i fi ffonio'r cartref. Esboniodd y fetron nad oedd hi'n teimlo y gallai'r cartref ofalu'n iawn am Clive bellach. Felly, ar ôl trafod â'i ymgynghorydd roedd Clive wedi cael ei anfon, o dan y Ddeddf Iechyd Meddwl, i'r ysbyty lleol lle'r oedd adran i bobl â chlefyd Alzheimer newydd ei hagor. Pwrpas ei roi o dan y Ddeddf Iechyd Meddwl oedd rhoi hawl i'r ymgynghorydd ei symud a hefyd bwysleisio, yn eu barn nhw, fod Clive yn analluog i benderfynu ynglŷn â'i ofal ei hun.

Roedd y ganolfan newydd yn lle hyfryd, y tu ôl i'r prif ysbyty ac yn hollol ar ei phen ei hun; roedd ganddi hyd yn oed ffordd breifat a maes parcio ar wahân. Roedd yr adeilad ar ffurf sgwâr o gwmpas cwrt heulog, gydag ystafelloedd sengl i'r preswylwyr i gyd, cegin lle gallai ymwelwyr wneud paned, a nifer o gilfachau i bobl eistedd ynddyn nhw. Roedd lle yno i 15 o bobl ar y tro a digonedd o staff. Fe ddylwn fod wedi teimlo'n iawn am y lle, ond doeddwn i ddim, yn fwy na thebyg oherwydd amgylchiadau anfon Clive yno. I ddechrau, roedden nhw wedi rhoi llawer o foddion iddo i'w dawelu, ac erbyn iddyn nhw leihau'r feddyginiaeth roedd Clive wedi colli'r ychydig sgiliau iaith oedd ganddo ar ôl. Doedd dim arwyddion ganddo ei fod yn fy adnabod i na'r plant. Er fy mod yn gwybod y gallai hyn ddigwydd, doeddwn i ddim wedi cael fy mharatoi ar gyfer y tristwch mawr y byddwn yn ei deimlo. Roedd hon yn golled arall ar ben yr holl golledion eraill yr adeg honno. Ond byddai Clive yn dal i eistedd ac yn gadael i fi ddal ei law, felly fe dreuliais i lawer o amser yn eistedd yn yr haul gydag ef, yn trio gwneud y gorau o'r sefyllfa newydd hon.

Fel y dywedais i, roedd yr uned newydd wedi'i hadeiladu o gwmpas sgwâr, a threuliodd Clive oriau'n cerdded o gwmpas y sgwâr. Yn anffodus, roedd un o'r preswylwyr eraill yn anhapus gyda hyn ac fe driodd atal Clive drwy sefyll o'i flaen. Yn ôl y sôn (doeddwn i ddim yno ar y pryd) gwthiodd Clive ef unwaith i'w symud o'r ffordd, cyn parhau i gerdded. Simsanodd y dyn arall, gan syrthio a thorri ei glun. Gwellodd y dyn ond roedd pawb yn wyliadwrus o Clive ar ôl hynny. Er gwaethaf hyn, rai dyddiau wedyn pan ddaeth mam Clive a'i lystad i'r cartref, anogodd y staff nhw i symud Clive allan o un o'r cilfachau, lle roedd yn eistedd yn yr haul, a mynd ag ef i'w ystafell i gael mwy o breifatrwydd. Doedd Clive ddim yn deall gorchmynion llafar erbyn hyn, a phan driodd ei lystad ei godi ar ei draed, gwthiodd Clive ef drosodd. Torrodd yntau ei glun hefyd, er iddo lwyddo i yrru am gan milltir cyn sylweddoli hynny. Felly aeth pethau o ddrwg i waeth yn yr uned honno. Dwi'n credu iddo aros yno am rai misoedd eto cyn cael ei symud i uned debyg yn Rhydychen lle'r oedd ystafell wag ar gael. Ac felly daeth Clive i'w gartref olaf.

Wrth edrych yn ôl

Aeth Clive i'w gartref nyrsio cyntaf ym mis Ebrill 1997, bron deng mlynedd yn ôl wrth i fi ysgrifennu hyn. Ers hynny mae rhai pethau wedi newid er gwell, ond mae pethau eraill wedi gwaethygu. Erbyn heddiw mae ychydig o gartrefi ar hyd a lled y wlad sy'n darparu gofal penodol i bobl â dementia cynnar. Does dim llawer ohonyn nhw, ac mae rhestr aros hir gan bob un. Ond maen nhw ar gael. Dydi'r rhan fwyaf ohonyn nhw ddim yn rhoi gofal seibiant, ond eto mae ambell uned arbenigol sydd yn gwneud hynny. Mae'r cartrefi sy'n gofalu am gleifion hŷn â dementia yn aml yn cau, oherwydd cynnydd mewn rheoliadau a diffyg cyllid.

Mae talu am le mewn uned gofal arbenigol yn broblem arall eto fyth. Mae'n anodd credu heddiw nad oes safonau cenedlaethol yn bod sy'n diffinio pwy sy'n gymwys i gael gofal gan y GIG. Ychydig iawn o bobl dwi wedi siarad â nhw sydd wedi llwyddo i gael arian i dalu am ofal parhaol y GIG i'w partner heb frwydr hir ac anodd, ac mae llai fyth wedi cael arian am ofal i gadw rhywun â dementia mor hir ag sy'n bosibl yn ei gartref ei hunan. Efallai y gallai Clive fod wedi cael chwe mis arall gartref gyda'i deulu, petai trefnu gofal iddo wedi bod yn bosibl. Mae mor annheg bod y teulu sydd eisoes yn wynebu colli aelod ohono, hefyd yn wynebu brwydr galed i osgoi caledi ariannol wrth dalu biliau'r cartref gofal. Mae hyn yn loteri cod post wirioneddol ac mae'n debyg nad oes neb ar wahân i'r teuluoedd ac ychydig o sefydliadau fel yr Alzheimer's Society yn poeni amdano. Dwi'n gwybod am bobl sydd wedi symud tŷ er mwyn bod mewn ardal sy'n darparu gofal gwell. Os mai teulu'r person â dementia sy'n gorfod talu ffioedd cartref gofal, does dim darpariaeth o fewn y gyfraith i osod cyfran o incwm y teulu i'r neilltu i ofalu am blant. Mae gan ŵr neu wraig hawl i gyfran benodol o unrhyw bensiwn, ond does gan y plant ddim hawl i'r un geiniog. Mae hyn yn hollol annheg.

Un o'r prif bwyntiau trafod oedd cymaint roeddwn i'n gadael i Clive fentro. Roedd hyn yn broblem erioed, ond pan oedd yn byw gartref roedd hi'n haws i fi ei reoli. Cefais fy meirniadu gan nifer o bobl am adael iddo gael cymaint o ryddid, ond roeddwn i'n bendant na ddylwn ei atal rhag gwneud dim, oni bai ei fod yn peryglu eraill yn uniongyrchol. Un rheswm dros hynny oedd bod atal Clive rhag gwneud yr hyn roedd am ei wneud yn anodd iawn, ond hefyd yn cydnabod ei fod wedi bod yn berson mentrus cyn ei salwch. Roedd ei ddiddordebau i gyd yn rhai a allai fod yn beryglus – neidio o awyren, sgio, cerdded yn y mynyddoedd, deifio yn y môr, rhedeg marathon. Roedd Clive yn berson bywiog ac egnïol a wnaeth hynny ddim newid dros nos pan aeth yn sâl.

Wrth yrru'n ôl ac ymlaen i'r gwahanol gartrefi, byddwn yn breuddwydio am y lle gorau i Clive pan na fyddai'n gallu byw gartref. Wrth drafod fy syniadau ag aelodau The Clive Project, fe ddaeth y syniadau hynny'n rhai pendant. Felly, gyda diolch iddyn nhw, dyma fy rysáit am y cartref gofal delfrydol i bobl â dementia, o ba oed bynnag. Er nad oes dim byd yma sy'n benodol i bobl ifanc, roedd ein profiad o ail gartref gofal Clive yn dangos yn glir nad yw pobl ifanc â dementia bob amser yn cymysgu'n dda gyda phobl hŷn, fregus.

Byddai'r cartref delfrydol yn cynnig lle sefydlog i bawb â dementia, ym mha gyfnod bynnag o'r salwch y maen nhw. Felly gallai fod yn ganolfan ddydd neu'n lle i gael gofal seibiant i'r rheini sydd yng nghyfnodau cynnar dementia, yn llety gyda mwy o gymorth i rai â'i angen arnyn nhw, ac yna yn hosbis ac yn rhoi gofal lliniarol (*palliative care*) i'r rhai yn y cyfnodau olaf. Dylai'r staff ddeall beth yw dementia, ond sylweddoli ei bod hi'n bosibl i bobl â dementia gael ansawdd bywyd da. Byddai'r ystafelloedd mewn clystyrau bychain o gwmpas man i gymdeithasu ac offer i wneud te neu goffi. Fe ddylai hi fod yn hawdd gwahaniaethu rhwng y gwahanol glystyrau – drwy eu haddurno'n wahanol, efallai – ond fe ddylai pethau fel switshis golau fod yn yr un lle ym mhob un. Dylai'r cartref fod ag o leiaf un lle clir i gerdded o'i gwmpas – byddai un y tu mewn ac un y tu allan yn ddelfrydol. Dylai fod â gardd lle gallai pobl eistedd yn yr haul, neu helpu gyda'r garddio os ydyn nhw'n dymuno (ond nid Clive, byth!). Dylai'r ystafelloedd gwely i gyd fod â'u hystafell ymolchi eu hunain ac yn ddigon mawr i ymwelydd neu ddau eistedd yn gyfforddus ynddyn nhw. Dylai fod mewn lle hwylus i'r preswylwyr gerdded i gyfleusterau eraill, er enghraifft, pwll nofio, canolfan chwaraeon, siopau, caffis a sinema. Dylai'r lle fod yn ddigon rhwydd i ymwelwyr fynd i mewn iddo, ond ar yr un pryd yn ddiogel rhag tresbaswyr. Dylai fod yn lle croesawgar, cartrefol, ac nid yn teimlo fel rhywle sefydliadol. Dylai'r staff fod yn barod i gydweithio â chymdeithasau eraill (e.e. The Clive Project) a allai gynnig gweithgareddau ychwanegol. Dylai pobl â dementia gael eu hannog i wneud yr hyn maen nhw'n gallu'i wneud, a'u sicrhau na fydd neb yn eu beirniadu. Dylid gofyn am eu barn nhw a barn eu teuluoedd.

Ac os yw hyn yn ymddangos fel breuddwyd ffôl, dwi'n gwybod am rai cartrefi gofal sydd yn cynnig hyn i gyd. Os ydyn nhw'n gallu gwneud hynny, pam nad ydi pob cartref yn gallu gwneud yr un fath?

Pennod 8

Yr Harbwr Olaf

Mae Clive yn hanner eistedd, hanner gorwedd ar y soffa wrth i fi gerdded i mewn i'r lolfa. Mae ar ei ben ei hun yn yr ystafell fechan ac mae'r Beatles yn canu ar y stereo. Mae'r rhan fwyaf o'r lleill yn y lolfa fawr, yn gwrando ar Bing Crosby. Dwi'n mynd i nôl cadair ac yn eistedd yn ei ymyl. Dydi Clive ddim yn fy adnabod i nawr, ond weithiau mae'n gadael i fi gydio yn ei law. Mae heddiw yn un o'r dyddiau hynny. Dwi'n dweud wrtho beth mae'r plant wedi bod yn ei wneud. Dwi ddim yn meddwl ei fod yn deall dim dwi'n ei ddweud, ond pwy a ŵyr. Mae siarad yn teimlo'n well i fi nag eistedd mewn tawelwch, er fy mod i'n eistedd yn dawel hefyd. Pan mae e'n dechrau aflonyddu, dwi'n mynd i nôl ei esgidiau ac yn mynd allan am dro o gwmpas yr ysbyty. Yn y gorffennol rydyn ni wedi cerdded yr holl ffordd o amgylch yr ysbyty, sy'n daith o ryw filltir o hyd, ond heddiw dydyn ni ddim ond yn mynd am dro at y cwrs golff. Ar un adeg byddwn i'n mynd â Clive ar draws y bont a thrwy gae oedd yn llawn blodau gwyllt, ond mae camfa ar draws y llwybr a dydw i ddim am fentro ceisio'i gael i'w dringo nawr. Mae wedi colli'r cydsymud mae'n rhaid ei gael i ddringo'r gamfa. Mae'r haul yn gynnes ar ein cefnau. Rydyn ni'n cerdded am rai munudau cyn mynd yn ôl i'r ganolfan. Mae'r staff yn croesawu Clive gyda phaned o de. Dwi'n rhoi cwtsh iddo ac yn dweud hwyl fawr – mae'n rhaid i fi nôl y plant o'r ysgol. Dydw i ddim yn gwybod a yw'r ymweliadau hyn yn golygu

> rhywbeth i Clive, ond dwi'n teimlo'i bod yn rhaid i fi ymweld ag ef mor aml ag y galla i – nid bob dydd, ond sawl gwaith yr wythnos. Fe hoffwn i feddwl ei fod yntau hefyd yn gwerthfawrogi'r ymweliadau, a'i fod ddim ond wedi colli'r gallu i ddweud hynny.

Roedd y ganolfan yn Rhydychen yn ganolfan newydd arall oedd y tu ôl i un o'r ysbytai mawr yn Headington. Roedd iddi dair ward yn y prif adeilad; cafodd Clive le yn yr uned fwyaf diogel lle roedd y drysau'n cael eu cadw ar glo. Aeth Clive yno mewn ambiwlans, felly doedd dim rhaid i fi ei yrru, ond roeddwn yno pan gyrhaeddodd er mwyn ei helpu i setlo. Roedd ganddo ei ystafell ei hun yma hefyd, un olau gyda digon o le i'w wely a dwy gadair esmwyth. Roedd y ward hon hefyd wedi'i hadeiladu o gwmpas cwrt, ond roedd gardd hyfryd a ffynnon fach yn ei lenwi, ac roedd drws yn arwain allan ohono. Weithiau byddai dŵr y ffynnon yn cael ei liwio i roi ychydig o amrywiaeth; roedd y lliw glas neu wyrdd yn edrych yn dda, ond roedd y coch yn edrych yn llawer rhy waedlyd, er bod y plant yn ei hoffi'n fawr. Roeddwn i'n hoffi'r lle o'r dechrau; roedd yn teimlo'n gyfeillgar iawn.

Ward arhosiad byr oedd yr uned hon i fod. Roedd wedi'i hadeiladu'n arbennig i ofalu am bobl â dementia. Y syniad oedd cynnig lle i bobl oedd yn ei chael hi'n anodd setlo mewn cartref nyrsio, neu yr oedd hi'n anodd gofalu amdanyn nhw, i geisio deall eu hymddygiad, i weld pa feddyginiaeth *angenrheidiol* oedd arnyn nhw ei heisiau (doedden nhw ddim yn credu mewn defnyddio gormod o dawelyddion), ac yna eu symud i rywle arall. Roedd yn syniad da; y drafferth oedd prinder cartrefi addas i'w symud iddyn nhw. Arhosai nifer o'r preswylwyr am fisoedd neu flynyddoedd. Yn ystod y ddau neu'r tri mis cyntaf roedd Clive yno, byddai'r rheolwr yn trefnu cyfarfodydd yn aml i drafod 'symud Clive ymlaen'. Doeddwn i ddim yn wir yn poeni am y cyfarfodydd hyn. Ym mhob un byddwn i'n esbonio nad oeddwn i'n gwybod am unrhyw gartref yn unman a fyddai'n ystyried cymryd Clive. Os oedden nhw'n gallu awgrymu unrhyw le, fe fyddwn yn hapus iawn i fynd i'w weld. Wnaethon nhw ddim awgrymu'r un lle addas i fi, ac yn y diwedd rhoddwyd y gorau i drefnu'r cyfarfodydd a derbyn mai yno y byddai Clive yn aros.

Mae'n anodd dweud pam roedd y lle yma'n teimlo'n fwy cyfeillgar na'r llefydd eraill roedd Clive wedi aros ynddyn nhw. Roedd yr un teimlad i'r ail gartref fuodd ef ynddo, ond roedd hwnnw yn lle llawer iawn mwy na'r ward yma. Roedd hi fel petai pawb a oedd yn gysylltiedig â'r ward hon yn perthyn i un teulu mawr estynedig, ag ambell aelod ecsentrig iawn, ond roedd pawb yn cael ei dderbyn a'i werthfawrogi.

Pwysleisiwyd y gwahaniaeth hwn mewn agwedd i fi pan lwyddodd Clive i ddianc, ddim ond ychydig ddyddiau ar ôl iddo gyrraedd yno. Wnaeth neb fy ffonio i'n wyllt i ddweud eu bod nhw wedi'i golli. Yn hytrach, pan gyrhaeddais i yno yn hwyrach y prynhawn hwnnw, roedd Clive yn eistedd yn ei gadair yn cael paned o de a bisged. Cefais innau baned ac yna dywedodd nyrs bersonol Clive wrthyf i beth oedd wedi digwydd. Roedden nhw wedi gweld ei fod ar goll ychydig ar ôl amser cinio. Roedden nhw'n credu ei fod wedi dringo allan drwy ffenest fechan ac wedi diflannu am tua hanner awr. Aeth pobl i chwilio amdano a chafwyd hyd iddo'n cerdded i lawr stryd fawr Headington, bron dwy filltir i ffwrdd, yn nhraed ei sanau. Y teimlad cyffredinol oedd eu bod nhw'n deall nad oedd Clive yn hoffi cael ei gau i mewn, ac yn edmygu'r ffaith ei fod wedi llwyddo i ddianc a mynd mor bell mewn ychydig amser. Cafwyd ymchwiliad i sut roedd wedi llwyddo i ddianc, a newidiwyd rhai pethau i osgoi'r un peth eto, ond doedd neb yn gas wrtho ac ni ddywedodd neb wrtho ef na minnau eu bod nhw'n teimlo'n flin ac yn rhwystredig gyda Clive. Er nad oedd Clive yn gallu siarad o gwbl erbyn hyn, roedd yn dal i allu canu, ac yn dal i ganu darnau o'r tair cân oedd yn rhyw fath o thema i'r blynyddoedd diwethaf. Roedd wastad wedi hoffi cân Edith Piaf, 'Non, je ne regrette rien', er na fyddai neb yn talu i glywed Clive yn ei chanu. Ffefryn arall oedd 'Please Release Me' gan Engelbert Humperdinck, a'r drydedd oedd cân Roy Orbison, 'Only the Lonely'. Dwi wedi meddwl droeon ai drwy hap a damwain yr oedd yn cofio'r caneuon hyn, neu a oedd yn trio dweud rhywbeth wrthyn ni. Mae hi'n ffaith fod pobl sy'n colli un iaith yn gallu cadw iaith arall a bod y gallu i ganu'n parhau yn hirach eto. Tra oedd ef yn y ward, ychwanegodd Clive gân arall i'w *repertoire*: byddai'n aml yn mynd o gwmpas y cylch cerdded gyda phrif nyrs y ward a'r ddau ohonyn nhw'n canu 'Daisy, Daisy'.

Roedd y nyrs yn Wyddeles hyfryd a oedd wedi sefydlu awyrgylch cynhwysol, cyfeillgar ac arbennig yn y ward. Aeth pob aelod o'r staff ati i ddod i adnabod teulu Clive, gan roi'r argraff fod ganddyn nhw ddiddordeb gwirioneddol ynon ni, yn ogystal â cheisio deall Clive drwon ni.

Fel y dywedais i, roedd y ward wedi'i dylunio o gwmpas cwrt sgwâr ac roedd y prif goridor yn mynd yr holl ffordd o gwmpas yr adeilad. Ond yn wahanol i'r uned flaenorol, roedd y coridor yma wedi'i gynllunio i beidio â thynnu gormod o sylw ato. Roedd y cadeiriau yn y lolfa yn wynebu'r gerddi o gwmpas y ward, felly fe allai Clive gerdded am oriau heb amharu ar neb, ac fe wnâi hynny. Yr unig beth oedd wedi'i gynllunio'n wael oedd y drysau tân. Fel arfer mewn ysbytai mae'r drysau tân yn agored ac yn cau'n awtomatig os bydd y larwm tân yn canu. Roedd y drysau hyn wedi'u cynllunio i fod ynghau, ac roedd yn rhaid i chi eu hagor â llaw i fynd drwyddyn nhw. Doedd hyn ddim yn broblem ar y dechrau ond wrth i gyflwr Clive ddirywio eto, roedd yn methu agor y drws ac fe fyddai'n sefyll o'i flaen am amser hir, yn trio'i orau i'w agor. Ni fyddai byth yn rhoi'r gorau iddi; os na fyddai rhywun yn agor y drws iddo, byddai'n dyfalbarhau nes iddo lwyddo.

Sylweddolodd y staff ar unwaith fod Clive yn hoffi bod allan yn yr awyr iach, a bydden nhw'n gwneud eu gorau i fynd ag ef am dro bob bore. Os byddai'r tywydd yn wael, neu'r staff yn brin, fe fydden nhw'n mynd ag ef i'r ardd yn y cwrt. Os byddai'n cael treulio rhywfaint o amser y tu allan bob bore, byddai'n ddigon parod i eistedd yn ei gadair am rai oriau, o leiaf, yn y prynhawn. Oherwydd ei salwch byddai'n cysgu llawer mwy nag arfer, ac roedd hefyd yn fodlon gwylio'r teledu erbyn hyn. Fel arfer, byddai Clive yn eistedd mewn lolfa lai, gyda dim ond un neu ddau o'r preswylwyr eraill. Doedd gan y ward ddim polisi o chwarae cerddoriaeth drwy'r amser, ond os byddai cerddoriaeth yn cael ei chwarae yn y lolfa fawr, byddai'n gerddoriaeth cenhedlaeth fy rhieni – Bing Crosby, Vera Lynn a'u tebyg. Yn y lolfa fach, cerddoriaeth boblogaidd o ddyddiau ieuenctid Clive gâi ei chwarae – y Beatles, y Rolling Stones ac ati. Fe ddaethon ni â thapiau iddyn nhw eu chwarae, ond byddai'r staff hefyd yn dod â'u tapiau eu hunain.

Fel anrheg pen-blwydd, fe ddois i o hyd i beiriant bach goleuadau disgo a'i osod yn ei ystafell wely. Dywedai'r staff fod Clive yn mwynhau gwylio'r goleuadau lliwgar yn symud ar draws y muriau a'r nenfwd; yn sicr roeddwn i a'r plant yn eu hoffi. Ar hyd muriau ei ystafell roedd nifer o luniau o'r teulu a lluniau roedd y plant wedi eu gwneud a'u lliwio.

Ychydig amser ar ôl i Clive gael ei anfon i'r ysbyty o dan y Ddeddf Iechyd Meddwl, cafwyd cyfarfod mawr i drafod adolygu'r penderfyniad. Dydw i ddim yn cofio a oedd hyn chwe mis neu flwyddyn ar ôl iddo fynd i mewn, ac mae'n bosibl bod y ddeddf sy'n rheoli hyn wedi newid ers hynny. Roedd y cyfarfod yn un difrifol iawn â fi, cyfreithiwr yn cynrychioli Clive, ymgynghorydd Clive a metron yr uned. Trafodwyd holl agweddau cadarnhaol a negyddol yr adnewyddu'n fanwl iawn. Cefais argraff dda a thawelwyd fy meddwl. Wedi'r cyfan, roedd hyn yn rhoi'r hawl i'r staff ddal Clive a'i drin yn groes i'w ewyllys. Yn achos Clive doedd dim gwrthdaro. Roedd Clive yn methu mynegi ei ddymuniadau, ond roedd pawb, gan gynnwys fi, yn bendant na fyddai Clive yn ddiogel tu allan i'r uned, a doedd dim amheuaeth am roi tawelyddion diangen na thriniaeth a allai beri niwed iddo. Mae'n dal yn achos cysur mawr i fi nad oedd neb wedi cymryd penderfyniad mor ddifrifol yn ysgafn.

A dyna gychwyn ar drefn newydd arall. Doedd dim oriau ymweld swyddogol, a gan fod maes parcio hwylus iawn y tu allan, dechreuais ymweld bron bob dydd, yn aml ddim ond am ychydig funudau. Byddwn yn eistedd gyda Clive ac yn dal ei law, pan fyddai'n gadael i fi, ac yn edrych ar hen luniau neu byddwn i'n dweud wrtho beth roedd pawb yn ei wneud. Weithiau fydden ni ddim ond yn eistedd yn dawel gyda'n gilydd. Unwaith neu ddwy yr wythnos, byddwn yn ymweld am gyfnodau hirach ac yn mynd â Clive allan am dro. Roedd cwrs golff drws nesaf i'r ysbyty a thipyn go dda o dir agored, ac i ddechrau bydden ni'n cerdded o gwmpas yr ysbyty. Gydag amser, bydden ni'n cerdded yn arafach ac yn peidio â mynd mor bell. Ar un o'n llwybrau arferol roedd camfa a phompren dros nant. Unwaith pan aethon ni ar hyd y llwybr, roeddwn i'n poeni na fyddwn i'n gallu cael Clive yn ôl drostyn nhw. Roedd hi fel petai arno ofn y dŵr a oedd yn llifo dan y bont, ac roedd yn methu deall sut i ddringo dros y gamfa. Roeddwn yn dychmygu gorfod ei adael yno a mynd am help, a dychwelyd ac yntau wedi diflannu. Ond fe lwyddodd yn y diwedd.

Gadewais i'r plant benderfynu a oedden nhw am fynd i'w weld, a phryd. Os oedden nhw am ei weld, byddwn i'n ceisio mynd â nhw yno cyn gynted â phosibl, a byddai'r staff bob amser yn groesawgar ac yn gadael iddyn nhw ymuno yn y gweithgareddau. Yn aml byddai gwers goginio yn cael ei chynnal ac aroglau hyfryd yn dod o'r gegin. Ond byddai ymweliadau'r plant yn digwydd yn llai ac yn llai aml. Roeddwn i'n deall yn iawn: doedd Clive ddim yn eu hadnabod, ac roeddwn i'n cofio gymaint roeddwn i'n casáu ymweld â fy rhieni pan oedden nhw'n wael, er eu bod nhw yn fy adnabod i ac yn gallu cynnal sgwrs â fi. Weithiau byddwn i'n galw heibio pan fyddwn i a'r plant ar y ffordd adref o rywle arall. Ar yr adegau hynny, byddai'r plant yn aml yn dewis aros yn y car, neu'n dod i mewn ac yn aros yn nerbynfa'r uned.

Roedd bwyd yr uned yn fwriadol yn blaen iawn, bwyd Seisnig, gan mai dyna roedd y mwyafrif o'r preswylwyr yn gyfarwydd â'i gael. Roedd hi'n well gan Clive gael bwyd sbeislyd a gwnaeth yr uned ei gorau i roi bwyd felly iddo. Byddai rhywun yn mynd i nôl prydau Tsieineaidd neu Indiaidd iddo ac fe gefais i ganiatâd i lenwi un o ddroriau'r rhewgell â phrydau cyri a lasagne a oedd yn llawn garlleg. Fe es hefyd â *cafetière* iddo a choffi wedi'i falu, fel y gallai Clive gael y coffi du cryf roedd yn well ganddo. Dim ond gyda'i frecwast neu gyda'i ginio fyddai Clive yn yfed coffi, gan beidio â'i yfed fin nos oherwydd ei fod yn ei gadw'n effro. Fe welais ef droeon yn pendwmpian ar ôl cinio gyda'i gwpan coffi yn dal i fod yn ei law, felly doeddwn i ddim yn derbyn ei resymeg, ond wnes i erioed ei wrth-ddweud.

Roedd Clive yn parhau i ddirywio'n araf. Fyddai e ddim yn canu mor aml. Cerddai'n arafach, a dechreuodd faglu dros bethau. Roedd angen help arno i wisgo a bwyta. Roedd yn fodlon i rywun ei eillio erbyn hyn, ac unwaith eto roedd ei wyneb yn lân a llyfn fel roeddwn i'n ei gofio, ond doedd dim arwydd o gwbl yn ei lygaid ei fod yn fy adnabod pan fyddwn yn galw i'w weld. Roedd y fraich roedd wedi'i thorri wedi dechrau bod yn boenus – roedd yn methu dweud wrthyn ni, ond roeddech chi'n gallu gweld oherwydd wrth y ffordd roedd yn ei dal, a dechreuodd bysedd y llaw honno droi tuag at i mewn, fel rhywun yn chwarae fiolín. Roedd yn dal i fynd rownd a rownd ei gylch cerdded, ond roedd y drysau tân yn rhwystr mawr iddo a dechreuodd gerdded i mewn iddyn nhw gyda thipyn o glec. Ond byddai'n ysgwyd ei ben ac yn parhau i gerdded i'r un cyfeiriad os oedd rhywun yn agor y drws, neu'n troi ar ei sawdl fel arall. Roedd newid cyfeiriad yn amlwg yn broblem iddo – byddai'n rhyw din-droi yn ddryslyd am rai eiliadau cyn dechrau cerdded eto. Roedd fel petai rhyw reidrwydd mewnol yn ei orfodi i symud. Er pob ymdrech i'w gael i fwyta ei hoff fwydydd, collodd Clive lawer o bwysau nes ei fod yn ddim ond croen ac asgwrn. Roedd yn cael trafferth llyncu ei fwyd a byddai'n aml yn tagu arno.

Ar gais y ward, prynais sliperi gyda felcro iddo. Nid oedd Clive erioed wedi hoffi sliperi; yn y tŷ fe fyddai'n gwisgo sanau neu'n cerdded o gwmpas yn droednoeth. Doeddwn i ddim yn disgwyl iddo wisgo'r sliperi ond roedd hi'n werth rhoi cynnig arnyn nhw. O'u gwisgo, roedden ni'n gobeithio y byddai'n baglu llai ac y bydden nhw'n amddiffyn ei draed. Ond llwyddodd Clive i ddysgu sut i'w tynnu. Roedd hefyd yn llai parod i fi afael yn ei law erbyn hyn; os oeddwn i'n cydio ynddi, fe fyddai'n ei thynnu oddi yno.

Daeth y gaeaf ac fe aeth. Roedden ni'n methu cerdded yn bell nawr, ond roeddwn i'n dal i drio'i gael i fynd allan am ychydig funudau. Un diwrnod o wanwyn, a'r haul yn disgleirio, penderfynais fynd ag ef i weld y blodau ar y coed afalau. Roedd hi'n anodd iawn ei gael i mewn i'r car, gan ei fod wedi anghofio sut i wneud hynny. Ceisiodd un o'r nyrsys gosi ei fol i'w gael i blygu. Fe lwyddon ni i'w gael i mewn yn ddiogel ac fe yrrais i fyny i ben y rhiw i fwynhau'r olygfa a'r haul. Fy mwriad gwreiddiol oedd mynd ag ef am dro, ond feiddiwn i ddim ei gael allan o'r car. Eisteddodd y ddau ohonon ni yno'n dawel am ryw awr cyn dychwelyd i'r ward i gael te.

Rai wythnosau wedyn, roeddwn i'n eistedd yn y swyddfa pan ganodd y ffôn. Roedd Clive yn sâl ac roedd y ward am i fi ddod draw. Ymddiheurais wrth fy mhennaeth, a chychwyn. Ar y ffordd yno, methais y troad a gyrru i mewn i stad o dai a chael fy nal tu ôl i lorri sbwriel. Doedd y ffordd ddim digon llydan i fi ei phasio ac ofnwn petawn yn ceisio troi yn y ffordd, y byddwn i'n taro rhywbeth, felly fe arhosais i lle'r oeddwn i nes i'r lorri fynd. Pan gyrhaeddais y ward o'r diwedd, roeddwn i'n gallu gweld ar unwaith nad oedd Clive yn iawn. Roedd ei wyneb yn goch, ac roedd yn pesychu. Roedd y nyrsys yn meddwl bod niwmonia arno, ac am wybod beth ddylen nhw ei wneud. Petawn i am iddyn nhw drin y salwch, byddai'n rhaid trosglwyddo Clive i'r prif ysbyty a chael gwrthfiotigau drwy wythïen. Petai'n dod drwyddi, byddai cyfnod hir o wella o'i flaen. Y dewis arall oedd ei gadw yn y ward a chael gofal lliniarol, ond heb wneud unrhyw ymdrech i drin ei salwch.

Doedd hwn ddim yn benderfyniad roeddwn i'n fodlon ei wneud ar fy mhen fy hun. Roeddwn i'n gwybod beth oedd fy nheimladau i, ond roedd yn rhaid i fi drafod y sefyllfa â theulu Clive. Neilltuodd y ward ystafell a ffôn i fi a dechreuais i ffonio'r teulu. Dros y deuddydd nesaf daeth mam Clive, ei frawd a'i chwaer draw ac roedden ni i gyd yn unfrydol dros gadw Clive lle roedd. Roedd yn gyfarwydd â'r lle a'r staff ac roedden nhw yn ei adnabod ac yn ei ddeall, a chyn ei salwch roedd ansawdd ei fywyd yn eitha gwael. Yn hwyrach y diwrnod hwnnw wrth iddo gael ei godi o'i wely i'w olchi ac i newid y dillad gwely, gwnaeth Clive ei orau glas i sefyll yn gefnsyth fel milwr. Dyna oedd ei weithred ymwybodol olaf, bron iawn.

Yn ffodus roedd y ward yn agos iawn at hosbis, felly pan oedd hi'n edrych fel petai Clive mewn cryn boen yn nes ymlaen, fe allai'r hosbis roi pwmp morffin iddo i'w gadw'n gyfforddus. Gwnaeth y staff eu gorau i'w gadw'n gyfforddus, ac i ofalu am ei deulu. Aeth un o'r nyrsys â'r plant i gael brecwast yn McDonald's wrth i fi aros gyda Clive. Rhoddwyd gwelyau i ni fel y gallwn i a mam Clive aros yno. Yn sicr, cafodd Clive yr holl ofal a chariad y gallen nhw fod wedi'i roi iddo. Ar y diwrnod olaf, fe es i â'r plant i'w weld, ac yna mynd â nhw adref, ac arhosodd cymydog gyda nhw. Llithrodd Clive i ffwrdd yn dawel am 2 o'r gloch y bore, 29 Ebrill 1999.

Roeddwn i'n methu'i gredu, ac mae'n dal i fod yn anodd credu. Roedd Clive wastad wedi bod yn llawn bywyd, mor benderfynol o gadw'i hun yn ffit, yn gryf ac yn iach. Hyd yn oed pan aeth yn sâl, roedd y salwch yn effeithio ar ei feddwl ac nid ar ei gorff tan y cyfnodau olaf un. Hyd yn oed pan alwodd y ward fi i mewn, ac roeddwn i'n gallu gweld ei fod yn wael iawn, roeddwn i'n disgwyl iddo ymladd y salwch yma yn union fel roedd wedi ymladd cymaint o frwydrau eraill yn ystod y blynyddoedd diwethaf. Hyd yn oed yn ystod yr oriau olaf, pan oeddwn i'n eistedd gydag ef ac yn ei glywed yn cael trafferth i anadlu'n iawn, feddyliais i byth y byddai'n fy ngadael. Eisteddais yn yr ystafell gyda'r peth tawel a thenau hwn a oedd unwaith wedi bod yn Clive, a dal ei law oer am y tro olaf. Rhoddais gwtsh i'w fam a mynd adref at ein plant.

Wrth gwrs, fe lwyddais i ddal ati. Roedd yn rhaid i fi wneud hynny er mwyn Clive a'r plant a fi fy hun. Trefnodd yr ysbyty post-mortem fel rhan o'r gwaith ymchwil roedd Clive wedi bod yn rhan ohono. Doedd ei fam ddim wedi bod yn hoff iawn o'r syniad, ond roedd gweddill y teulu'n gytûn mai dyna fyddai Clive yn ei ddymuno, ac roedd hi'n bwysig i ni i gyd gael gwybod gymaint â phosibl am ei salwch.

Claddwyd Clive yn y fynwent leol. Roeddwn wedi addo i fi fy hun, pan fu'n rhaid i Clive fynd i gartref nyrsio, ac wedyn yn gwneud cymaint o ymdrech i ddod adref, y byddwn yn y diwedd yn ei roi mor agos â phosibl i'w gartref. Daeth nifer dda o bobl i'w angladd. Cafodd ei anrhydeddu gan ei gyn-gyd-filwyr a soniodd un o nyrsys y ward am 'y Clive caredig a doniol' roedden nhw wedi'i adnabod. Trueni na fydden nhw wedi'i adnabod pan oedd ar ei orau. Doeddwn i ddim wedi sylweddoli ond roedd dwy alaw bosibl i un o'r ddau emyn roeddwn wedi eu dewis. Ar ôl ychydig o gordiau, dechreuodd yr organydd chwarae'r naill alaw a dechreuodd y gynulleidfa ganu'r llall. Cafwyd brwydr rhwng yr organydd a'r gynulleidfa drwy'r pennill cyntaf, cyn i'r rheithor ei hatal a dweud y bydden ni'n canu'r emyn yn ddigyfeiliant. Dychmygais Clive yn rholio chwerthin wrth iddo weld y cyfan. Fe wnaethon ni ein gorau i godi to'r eglwys fach.

Roeddwn wedi hen arfer â mynd adref ac i mewn i'r tŷ heb Clive – roedd wedi bod mewn gofal am y tair blynedd ddiwethaf. Ond roedd mynd adref yn dal i deimlo'n wahanol, ac yn unig iawn. Roeddwn i nawr yn gorfod wynebu gweddill fy mywyd heb Clive. Clive oedd fy nghraig, fy ffrind, fy nghariad, tad fy mhlant, a nawr roedd wedi mynd. Yn ystod ei yrfa yn y Fyddin roedden ni wedi symud droeon, ac er i fi wneud rhai ffrindiau da iawn, dim ond ychydig ohonyn nhw oedd yn byw wrth ymyl. Pan anwyd y plant, a phan fyddwn i wedi disgwyl gwneud mwy o ffrindiau, dechreuodd Clive fod yn sâl.

Clive oedd canolbwynt fy mywyd ers bron 30 mlynedd, a hebddo doeddwn i'n ddim.

Yn araf, fe ailgreais fy mywyd, a'r plant yn bennaf yn fy achub. Pan doeddwn i ddim yn teimlo fel codi yn y bore, nhw oedd fy rheswm dros godi. Os oeddwn i am wneud dim ond aros adref yn fy nagrau, doedden nhw ddim yn gadael i fi wneud hynny. Ond roedd un pwnc doeddwn i ddim yn cael ei drafod. Byddwn i'n sôn am Clive, i ddweud wrth y plant gymaint roedd eu tad wedi eu caru pan oedden nhw'n fabanod, a sut y byddai'n mynd â nhw ar wyliau neu ar dripiau ysgol. Yn y diwedd trodd fy merch, a oedd yn 11 ar y pryd, ata i a dweud yn gadarn, 'Mam, dydw i ddim am glywed am y tad arbennig sy ddim 'da fi.' Caeodd hynny fy ngheg. Dwi'n gobeithio bydd mwy o ddiddordeb ganddyn nhw ynddo yn ddiweddarach pan fyddan nhw'n barod. Ac os na fyddan nhw, eu dewis nhw ydi hynny.

Doedd ddim llawer o waith papur i'w wneud ar ôl i Clive farw – dim ond cofrestru ei farwolaeth a delio â'r polisïau yswiriant. Roedd popeth pwysig wedi'i wneud pan sylweddolon ni ei fod yn sâl. Mewn sawl ffordd, byddai rhai'n dweud bod Clive wedi marw bryd hynny, pan gollodd y gallu i weithredu mewn cymdeithas fel oedolyn cyfrifol. Yn ystod y chwe blynedd nesaf, cafodd ei gorff gyfle i ddal i fyny â'i feddwl. Ond eto, doedd Clive ddim yn farw o gwbl pan oedd e'n wael. Parhaodd ei synnwyr digrifwch; parhaodd i fwynhau cwmni ei deulu tan y flwyddyn olaf; byddai'n hoffi mynd i'r theatr, i barciau thema, am dro yn y wlad, a bwydo hwyaid gyda'i deulu. Roedd yn hynod o falch o'i blant; roedd yn hoffi bod gyda'i gyfeillion; roedd yn hoffi mynd i'r dafarn er ei fod wedi rhoi'r gorau i alcohol yn syth ar ôl iddo gael ei ddiagnosis. Roedd wrth ei fodd yn nofio. Roedd bywyd wrth ei fodd. Dwi'n credu ei fod wedi gwasgu cymaint ag oedd yn bosibl i'w 51 mlynedd.

Wrth edrych yn ôl

Dangosodd y *post-mortem* nad niwmonia ond endocarditis oedd ei salwch terfynol – haint ar falfiau ei galon. Mae'n fwy na thebyg mai rheoliadur y galon oedd wedi achosi hwn, ynghyd â'r pwysau dychrynllyd roedd wedi'u colli yn ystod ei fisoedd olaf. Mae hwn yn salwch hyd yn oed yn fwy difrifol, sy'n fy ngwneud i'n dawel iawn fy meddwl am ein penderfyniad i beidio â cheisio'i drin. Dementia cortico-waelodol oedd ei ddiagnosis o ddementia. Mae hwn yn hynod brin; does neb yn gwybod beth sy'n ei achosi, does neb yn deall y salwch o hyd a does dim rhagolwg o wellhad iddo. Yn ffodus hefyd does dim awgrym ei bod hi'n bosibl ei etifeddu.

Mae'r ysbyty wedi ehangu'r ward lle treuliodd Clive ei fisoedd olaf. Mae'r brif nyrs wych wedi ymddeol ac wedi mynd adref i Iwerddon, ac mae'r rhan fwyaf o'r staff a fu'n gofalu am Clive wedi symud ymlaen. Erbyn hyn mae'r ward yn delio â dwywaith gymaint o gleifion, â'r un nifer o staff. Does ganddyn nhw ddim cymaint o le erbyn hyn; dydw i ddim yn gwybod a yw'r gegin lle gallai'r preswylwyr a'u teuluoedd wneud te a choginio bisgedi yn dal i fod yno. Erbyn hyn dwi wedi colli cysylltiad â'r lle, ond dwi'n gobeithio bod y staff yn parhau i allu meithrin yr ymdeimlad o deulu a wnaeth eu gofal am Clive mor arbennig, ac a fu'n gymaint o help i ni i dderbyn yr hyn oedd yn digwydd iddo.

Pennod 9

Dechrau The Clive Project

Mae hi'n fin nos ym mis Hydref 1999, chwe mis ar ôl i Clive farw. Dwi yn ystafell gynhadledd grand Headington Hall. Mae nenfwd yr ystafell yn uchel iawn gyda gwaith plastr cywrain a rhosynnau addurnedig, a llenni *chintz* trwm ar y ffenestri. Yn gynharach roedd golygfa wych ar draws y parc o gwmpas y plasty i gyfeiriad Rhydychen, ond mae'n tywyllu nawr ac mae'r llenni wedi'u cau. Mae'n rhyfedd meddwl mai cartref teuluol oedd hwn ychydig amser yn ôl, ond erbyn hyn mae'n rhan o Brifysgol Brookes Rhydychen sydd, yn garedig iawn, wedi caniatáu i ni ddefnyddio'r ystafell hon. Mae tua deugain ohonon ni – aelodau o grŵp llywio The Clive Project, gweithwyr cymorth, pobl â dementia a'u teuluoedd. Mae The Clive Project wedi bod yn rhoi cymorth un i un am ryw flwyddyn erbyn hyn ac rydyn ni'n dathlu. Dydi'r parti ddim yn un gwyllt. Rydyn ni'n rhannu'n bwyd ni ac yn sgwrsio am hyn a'r llall. Mae ffrind sy'n gerddor wedi cynnig rhai o'i ffrindiau i ddod i chwarae i ni yn wirfoddol. Ar ôl swper mae'r sgwrsio yn difrifoli rywfaint wrth inni drafod sut ddylai The Clive Project ddatblygu. Mae'r rhan fwyaf yn hapus â'r cymorth maen nhw yn ei gael, ond fe fydden nhw'n hoffi ei gael am ragor o amser. Mae rhywun am i ni gynnal parti ail ben-blwydd y prosiect yn y Caribî! Mae rhywun arall yn cyflwyno teisen pen-blwydd wych, ac rydyn ni i gyd yn codi ein gwydrau i ddathlu. Mae'n bryd i ni fynd, ond does neb ar frys i adael. Rydyn ni'n mynd yn araf o'n cadeiriau i sefyllian o gwmpas drws yr ystafell, yna ger yr ystafell gotiau, yna yn y maes parcio. Mae pawb yn rhy brysur yn sgwrsio i fynd adref.

Dechreuodd The Clive Project yn dawel, fel prosiect ymchwil gan gangen Rhydychen o'r Alzheimer's Society. Roedd y diffyg cefnogaeth briodol oedd ar gael i Clive a phobl ifanc eraill â dementia yn Swydd Rydychen wedi taro rhai o'r tîm, ac fe benderfynon nhw wneud rhywbeth. Fe ges i wahoddiad i ymuno â nhw ac fe gytunais i. Cynhaliwyd y cyfarfodydd cyntaf amser cinio, ar un o'r diwrnodau roedd Clive mewn canolfan ddydd. Yn ddiweddarach, roedd Clive mewn cartref nyrsio, ond bydden ni'n dal i gyfarfod amser cinio, pan oedd y plant yn yr ysgol.

Roedd dementia cynnar wedi dechrau cael mwy o sylw nag yr oedd yn y gorffennol; roedd rhai papurau ymchwil yn bod, gan gynnwys un da iawn gan Richard Harvey, ar ba mor gyffredin roedd y salwch.[1] Ond roedd un o'n haelodau'n perthyn i'r Gwasanaethau Cymdeithasol lleol, ac fe ddywedodd wrthyn ni yn eitha pendant y byddai'n rhaid i ni allu cyfeirio at unigolion penodol y byddai angen y gwasanaethau arnyn nhw, cyn y byddai neb yn eu darparu. Felly, y cam cyntaf oedd cyflogi ymchwilydd rhan-amser i ddod o hyd i bobl â dementia cynnar. Ond doedd hynny ddim yn waith hawdd ac roedd yn nodweddiadol o'r anawsterau i ddarparu gofal i'r grŵp yma. Cafodd Clive ddiagnosis gan niwrolegydd, ond roedd seiciatryddion neu geriatregwyr wedi rhoi diagnosis i eraill. A gan nad oedd gwasanaethau na thriniaethau ar gael i bobl â dementia cynnar, ar ôl cael diagnosis, meddygon teulu fyddai'n darparu'r gofal cyffredinol, fel yn achos Clive. Mae nifer fawr o feddygon teulu yn Swydd Rydychen, a does ganddyn nhw i gyd mo'r amser i ateb cwestiynau ymchwilwyr. Yn wir, y tro cyntaf i'n hymchwilydd ni edrych drwy restr o enwau tebygol, fe fethodd hi enw Clive, er iddi gyfweld goruchwyliwr ei weithiwr cymdeithasol. Fodd bynnag, ar ôl

1 Harvey, R, Skelton-Robinson, M, a Rosser, M N (2003), 'The prevalence and causes of dementia in people under the age of 65 years', *Journal of Neurology, Neurosurgery, and Psychiatry 74,* 1206–1209. Ar gael yn: http://jnnp.bmj.com/cgi/content/full/74/9/1206, cyrchwyd ddiwethaf 21 Mawrth 2019.

cryn ddyfalbarhad, cyflwynodd restr o dros 30 enw ac roedd hyn yn ddigon i brofi bod angen am ryw fath o wasanaeth.

Treuliwyd sawl cyfarfod wedyn yn trafod y math o wasanaeth a allai helpu. Trafodwyd gwefannau gwybodaeth, a phenderfynu eu bod yn anodd eu cynnal, a fwy na thebyg dim ond teulu a ffrindiau'r person â dementia fyddai'n eu defnyddio, ac mewn gwirionedd roedden ni am ganolbwyntio ar helpu'r un â dementia ei hun. Ystyriwyd canolfan ddydd a fyddai'n darparu gofal gyda mwy o weithgareddau na'r canolfannau i bobl hŷn. Ond gyda grŵp bychan o bobl mewn dalgylch daearyddol eang, roedd hi'n anodd meddwl am leoliad a fyddai'n gyfleus i bawb heb iddyn nhw orfod treulio oriau'n teithio. Yna fe gofiais am gyd-weithwyr Clive yn galw i fynd ag ef allan, ac awgrymais ein bod ni'n cynnig y math hwnnw o ofal. Cytunodd pawb ei fod yn syniad da, a threuliwyd y cyfarfodydd nesaf yn trafod sut allai'r fath syniad weithio. Trafododd ein hymchwilydd y syniad â phobl eraill â dementia, eu teuluoedd a'u ffrindiau. Cafodd dderbyniad da. 'Syniad da,' meddai pawb. 'Pryd ydych chi'n bwriadu dechrau?'

Cytunwyd yn gynnar iawn, os oedd y cynllun yn mynd i weithio, y byddai'n rhaid i'r gofal fod yn gyson (yr un darparwr gofal, apwyntiadau rheolaidd, a bod yn brydlon) ac wedi'i deilwra i anghenion yr un â dementia. Byddai'n rhaid i'r gofalwr hefyd gael ychydig o hyfforddiant i ddeall beth roedd byw gyda dementia yn ei olygu i'r person, i'w deulu ac i'w ffrindiau. Cytunwyd bod tair awr o sesiwn yn hen ddigon – byddai mwy na hynny yn siŵr o flino'r un â dementia; yn fyrrach na hynny a fydden ni ddim yn cyflawni rhyw lawer i neb.

Lluniwyd rhaglen hyfforddi i ofalwyr posibl, ac yna eistedd yn ôl ac edrych ar ein cynrychiolydd o'r Gwasanaethau Cymdeithasol. Wedi'r cyfan, roedden ni wedi gwneud ei gwaith drosti, yn ein barn ni. Roedd ganddi restr o bobl roedd angen y gwasanaethau hyn arnyn nhw; roedd ganddi fodel gwasanaeth – y cyfan oedd yn rhaid iddi hi ei wneud oedd dechrau'r cynllun.

'Syniad da,' meddai. 'Rydyn ni'n wir am wneud hyn, ond does gennyn ni ddim arian. Y flwyddyn nesa, efallai.'

Doedd hynny ddim yn swnio'n dda i ni. Roedden ni'n trio rhoi help i bobl â salwch cynyddol. Roedd Clive eisoes mewn cartref a thu hwnt i'r math yma o gymorth. O aros blwyddyn, sawl enw arall fyddai wedi diflannu o'r rhestr? A fyddai'n rhaid i ni aros chwe mis arall tra byddai ein hymchwilydd yn dod o hyd i'r enwau nesaf? Wedi'r cyfan, er bod y mathau hyn o salwch yn brin, yn anffodus dydyn nhw ddim mor brin â hynny. Mewn gwirionedd, mae ffigurau Richard Harvey yn awgrymu bod tua 200 o bobl â dementia cynnar yn byw yn Swydd Rydychen.

Gofynnon ni i'n hymchwilydd newid trywydd. Yn lle ysgrifennu at ymgynghorwyr ysbytai a gweithwyr cymdeithasol, fe ddechreuodd ysgrifennu at elusennau. Daeth hi'n amlwg ar unwaith y byddai'n rhaid i ni dorri ein cysylltiad â'r Alzheimer's Society; roedden nhw'n methu ein hariannu ni'n uniongyrchol, ond tra oedden ni'n gysylltiedig â nhw, roedd hi'n anodd i ni godi ein harian ein hunain. Ac yna cynigiodd un o'r cronfeydd elusennol lleol ddigon o arian i ni ddechrau gwasanaeth!

Yn y cyfarfod nesaf roedd pawb wedi'u syfrdanu. Roedd hwn yn gam pwysig i ni ei ystyried. Byddai hyn yn ein newid o fod yn grŵp ymchwil ac ymgyrchu lleol. A oedden ni'n barod i fod yn gyfrifol am gyflogi gweithwyr cymorth, a'r cyfan oedd ynghlwm â hynny gydag yswiriant a threth, ac yna ddarparu gwasanaeth digonol i bobl â dementia a'u teuluoedd? Roeddwn i'n bendant na ddylen ni ddechrau'r gwaith os nad oedden ni'n hyderus y byddai'r cynllun yn gweithio, am rywfaint beth bynnag. Roeddwn i wedi fy siomi ormod o weithiau i gynnig gwasanaeth diwerth i eraill. Roedd un aelod o'r grŵp eisoes yn helpu i redeg canolfan ddydd ac roedd hi'n credu y byddai'r ganolfan yn barod i'n cynorthwyo gyda'r holl waith papur oedd ynghlwm â chyflogi rhywun. Cytunodd i wneud ymholiadau.

Penderfynwyd ei bod yn rhaid i ni fwrw ymlaen. Er y byddai'n well gennyn ni drosglwyddo'r cyfan i rywun arall, roedden ni'n methu rhoi'r ffidil yn y to nawr. Cytunodd y ganolfan ddydd i gydweithio â ni. Nawr roedd rhaid i ni gael enw gwell. Eto, buon ni'n meddwl yn galed. Gofynnais yn betrus a oedd rhywun yn gysylltiedig â'r grŵp y gallen ni ddefnyddio ei enw. Roedden ni wedi bod yn trafod codi arian cyn hyn ac awgrymais efallai y byddai noddwr yn barod i ni ddefnyddio ei enw ef ar y grŵp. 'Syniad gwych,' meddai rhywun. 'Beth am ei alw yn The Clive Project?' A dyna sut ddaeth yr ail Clive yn fy mywyd i fod.

Roedd gennyn ni enw. Roedd rhywfaint o arian gennyn ni. Roedd help gennyn ni o ran ochr gyfreithiol cyflogi gweithwyr. Roedd gan rywun ffrind a oedd yn ffrind i rywun oedd yn gweithio yn y byd marchnata a chysylltiadau cyhoeddus, a fyddai'n barod i gynllunio logo i ni. Trefnwyd a chynhaliwyd arwerthiant addewidion gan godi dros £5,000. Roedd hyn, ynghyd â'r arian a oedd wedi'i addo i ni, yn ein gwneud ni'n ddigon hyderus i fentro am y flwyddyn gyntaf, o leiaf. O'r diwedd roedden ni'n barod i ddechrau, ond roedd yna un broblem fach – doedd gennyn ni ddim cwsmeriaid. Roedd 18 mis wedi mynd heibio ers yr ymchwil gwreiddiol ac mae dementia cynnar yn salwch cynyddol, gan amlaf: mae'n gallu datblygu'n gyflym iawn, yn enwedig heb gyffuriau i drin y symptomau. Pan ddechreuodd y prosiect roedd Clive yn dal i fyw gartref ond erbyn hyn roedd mewn cartref nyrsio.

Fe gawson ni ddadl eitha tanbaid i drafod ein camau nesaf. Roedd rhai o blaid ymchwilio eto i ddarganfod pobl newydd oedd mewn angen. Roedd y gweddill ohonon ni am fwrw ymlaen i recriwtio gweithwyr cymorth, gan chwilio ar yr un pryd am gwsmeriaid newydd. Gallai ein perthynas ag OPTIMA ein cysylltu â rhai pobl debygol, ac roeddwn i'n argyhoeddedig, petaen ni'n darparu gwasanaeth da, y byddai pobl yn dod i wybod amdanon ni. Argraffodd ein hymchwilydd gannoedd o daflenni cyhoeddusrwydd The Clive Project ac fe'u gadawyd nhw mewn llefydd y byddai pobl â dementia cynnar, eu teuluoedd, eu ffrindiau neu unrhyw un â diddordeb, yn debygol o'u gweld. Penderfynwyd hefyd ddechrau system atgyfeirio (*referral*) agored. Gan ein bod yn cael arian gan ymddiriedolaethau elusennol, roedd yn rhaid i'r cymorth yr oedden ni'n bwriadu ei gynnig gael ei dargedu'n benodol at bobl â dementia cynnar, ond ar yr un pryd roedden ni am gyfyngu cyn lleied â phosibl. Byddai'r cymorth ar gael i unrhyw un dan 65 oed pan oedd y symptomau wedi dechrau ond fydden ni ddim yn dod â'r cymorth i ben y diwrnod ar ôl ei ben-blwydd yn 65. Bydden ni'n gobeithio gallu parhau â'r cymorth cyhyd ag y byddai'n ddefnyddiol i'r unigolyn.

Rhoddwyd hysbyseb yn y papur lleol i recriwtio'r cyntaf o weithwyr cymorth The Clive Project, a ddechreuodd ar y gwaith ym mis Ebrill 1998. Dechreuwyd yn fwriadol ar raddfa fach: dau weithiwr cymorth am wyth awr yr un yr wythnos. Roedd hyn yn rhannol oherwydd yr arian, ond hefyd gan nad oedd neb yn siŵr iawn pa mor llwyddiannus fyddai'r cymorth. Doeddwn i ddim yn rhan o benodi nac o hyfforddi'r ddau weithiwr rhan-amser hyn. Ar y pryd roeddwn i yng nghanol y broses o symud Clive o'i gartref cyntaf i'w ail.

Er i ni gael ambell gam gwag ar y dechrau, wrth i weithwyr cymorth, pobl â dementia a'u teuluoedd ddechrau cydweithio, ar y cyfan roedd y cynllun yn llwyddiant, ac o fewn chwe mis roedden ni wedi penodi dau weithiwr cymorth arall ac wedi cymryd mwy o gleientiaid. Mae'r gwasanaeth Un i Un wedi ehangu'n gyson ers hynny, ac mae defnyddwyr y gwasanaeth, eu teuluoedd a'u ffrindiau yn ei werthfawrogi'n fawr.

Y prif reswm dros lwyddiant y gefnogaeth yw am ei bod wedi'i theilwra'n benodol i anghenion a diddordebau'r un sy'n cael y cymorth, a'i fod yn cael ei roi, os yw'n bosibl, yn gyson ar yr un amser o'r dydd gan yr un gweithiwr cymorth. Gall perthynas ddatblygu rhwng y gweithiwr cymorth a'r un sy'n cael y cymorth, ac mae'n bosibl cynnal y drefn sydd mor bwysig i'r un â dementia. Mae tîm cymorth y prosiect yn gwneud ei orau i sicrhau bod diddordebau'r un â dementia yn cyfateb i ddiddordebau'r gofalwr, er mwyn cael perthynas dda rhwng y ddau. Mae gweithwyr cymorth yn cael eu dewis oherwydd eu hagwedd dawel, fedrus a chyfeillgar, ac mae'r hyfforddiant yn eu gwneud nhw'n fwy medrus. Rydyn ni'n yn ceisio cysylltu â phobl sy'n cael diagnosis o ddementia cynnar cyn gynted â phosibl ar ôl hynny, er mwyn iddyn nhw, os ydyn nhw'n dymuno, ddod yn gyfarwydd â'r prosiect a dod i rai o'n digwyddiadau cymdeithasol cyn bod angen cymorth arnyn nhw. Rydyn ni'n trio cynnig cymorth cyn gynted â bod ei angen er mwyn cynnal safon byw dda i'r un â dementia, ei deulu a'i ffrindiau. Drwy gysylltu yn y cyfnod cynnar, gallwn fanteisio ar alluoedd yr un â dementia i wneud cysylltiadau newydd ac i ddysgu pethau newydd cyn iddo golli'r galluoedd hynny wrth i'r salwch waethygu (os bydd yn gwaethygu – dydi pob dementia ddim yn gynyddol).

Mae The Clive Project yn cefnogi pobl sy'n byw ar eu pen eu hunain yn eu cartrefi eu hunain, pobl sy'n byw gyda'u teuluoedd, a rhai sy'n byw mewn rhyw fath o dai gwarchod neu gartref gofal. Unwaith y bydd cytundeb wedi'i wneud i ddarparu cefnogaeth, gadewir llyfr nodiadau A4 gwag yn y tŷ i'w ddefnyddio fel dyddiadur i nodi ymweliadau'r gweithiwr cymorth a manylion bras y gweithgareddau. Mae'r dyddiadur hefyd yn ddefnyddiol i'r teulu ac i'r gweithiwr cymorth adael nodiadau i'w gilydd.

Fel arfer mae ymweliadau The Clive Project yn dechrau gyda'r gweithiwr cymorth yn dod i gartref yr un â dementia. Bydd y gweithiwr yn sgwrsio â'r un â dementia ac â'i gymar, neu bydd yn edrych yn y dyddiadur i weld a oes neges ynddo. Bydd y gweithiwr cymorth a'r un â dementia yn cytuno ar weithgaredd yr ymweliad, a allai fod dan do neu y tu allan. Ymhlith y gweithgareddau nodweddiadol mae coginio, garddio, chwarae golff, mynd i gyngherddau neu fynd am dro. Os byddan nhw'n teithio mewn car i weithgaredd, mae hynny'n gyfle da i'r ddau sgwrsio am bethau sydd efallai'n peri gofid. Fel arfer, mae'r gweithgaredd yn para tua dwy awr a hanner. Ar y diwedd bydd y ddau'n mynd adre, yn cael paned ac yn llenwi'r dyddiadur. Bydd y gweithiwr cymorth yn cael gair gyda phartner yr un â dementia ac yn gadael.

Mae'r strwythur yma'n cynnig gweithgaredd hamddenol, cyfle i sgwrsio a diwedd pendant i'r ymweliad sy'n caniatáu i'r gweithiwr cymorth adael heb achosi gofid i neb. Mae'r dyddiadur yn gyfrwng cyfathrebu hanfodol rhwng y gweithiwr cymorth, y partner ac unrhyw ofalwyr proffesiynol eraill. Bydd y dyddiadur hefyd yn gofnod y gall yr un â dementia a'r teulu ei ddarllen yn ddiweddarach.

Pennod 10

Y Presennol

Mae dros naw mlynedd bellach ers i Clive farw. Mewn rhai ffyrdd mae popeth yn wahanol, ond mewn ffyrdd eraill mae pethau'n union yr un peth.

Mae'r plant, wrth gwrs, wedi newid. Roedden nhw ar drothwy'r arddegau pan fu Clive farw. Roedd wedi bod yn byw yn y cartref nyrsio am y ddwy flynedd flaenorol, ac roedden nhw'n ymweld ag ef yn fwy anaml ar ôl iddo ddechrau anghofio pwy oedden nhw. Felly prif ganlyniad ei farwolaeth oedd fy mod i'n treulio mwy o amser gartref. Roedd hi hefyd yn haws iddyn nhw sôn am eu bywyd gartref yn yr ysgol. Roedden nhw'n rhoi rheswm i fi godi o'r gwely yn y bore ac, mewn sawl ffordd, yn fy nghadw ar y llwybr cul.

Mae fy merch yn y coleg erbyn hyn, lle mae'n astudio ffiseg (wnes i ddim dylanwadu'n fwriadol ar ei dewis). Mae fy mab yn astudio ar gyfer ei arholiadau lefel A, ac mae'n well ganddo wrando ar CDs a chwarae gemau cyfrifiadur na meddwl am yr hyn mae am ei wneud y flwyddyn nesaf. Mae'r ddau'n edrych fel pobl ifanc normal, ond mae un pwnc sydd wedi'i wahardd gartref. Mae'r ddau'n gefnogol iawn o fy ngwaith gyda The Clive Project a'r Alzheimer's Society ond maen nhw'n gwrthod sôn am ddementia, eu tad, na'i salwch. Dwi'n gobeithio y daw amser pan fyddan nhw am wybod mwy a dwi wedi ceisio cofnodi storïau'r teulu, a rhoi trefn ar y lluniau fel bod yr wybodaeth ar gael os byddan nhw'n barod i siarad, a phryd bynnag y bydd hynny. Ac os na ddaw'r amser hwnnw, mae hynny hefyd yn iawn gen i.

Ar ôl meddwl llawer, mae gen i syniadau clir am beth oedd yn helpu fy mhlant i ddygymod â salwch Clive. Dwi'n methu dweud a fyddan nhw o help i neb arall, ond dwi'n credu ei bod hi'n werth eu nodi.

1. Peidiwch â cheisio amddiffyn plant drwy beidio â dweud wrthyn nhw beth sy'n digwydd. Mae'n amhosibl cuddio effeithiau dementia. Byddan nhw'n siŵr o sylwi ar ddigwyddiadau rhyfedd, ac yn creu eu hesboniadau eu hunain os na fyddwch chi'n rhoi rhai iddyn nhw. Peidiwch â thrio cadw cyfrinachau, na chael sgyrsiau mae'r plant wedi eu gwahardd yn llwyr ohonyn nhw. Os yw'n bosibl, rhannwch bethau â pherson proffesiynol (nyrs, meddyg, nyrs seiciatrig cymuned neu rywun tebyg). Gwnewch yn siŵr eich bod yn esbonio pethau ar lefel y bydd y plant yn ei deall. Rhowch gyfle iddyn nhw siarad a gofyn cwestiynau, ond peidiwch â chynhyrfu neu wylltio os ydyn nhw'n colli diddordeb yn gyflym. Efallai mai salwch eich cymar yw'r peth pwysicaf yn eich bywydau chi'ch dau, ond dydi hynny o reidrwydd ddim yn wir am eich plant.
2. Os ydyn nhw'n dal i fod yn yr ysgol, dywedwch wrth y prifathro am y diagnosis a'r canlyniadau tebygol. Gorau oll os gallwch chi wneud hyn yn breifat. Bydd yn haws i bawb os nad yw'r diagnosis yn destun trafod wrth gât yr ysgol.
3. Trïwch drefnu amser ym mywyd pob dydd y teulu pryd mae'r plant yn rhydd i gael sgwrs, fesul un neu i gyd gyda'i gilydd, â'r rhiant sydd heb ddementia. Peidiwch â gwthio'r sgwrs, ond byddwch yn barod i ymateb yn agored os oes angen. Os ydych chi'n credu bod hyn yn rhy anodd i chi, ceisiwch gael aelod arall o'r teulu neu ffrind sy'n agos i'r teulu i'w wneud, ond fe ddylai fod yn rhywun y bydd y plant yn gallu mynd

ato i siarad. Ac fe ddylai hynny fod yn rhan naturiol o fywyd y teulu, nid yn achlysur arbennig.

4. Peidiwch â gadael i'r plant gymryd mantais ar y sefyllfa. Oni bai eu bod nhw'n treulio llawer o amser yn helpu i ofalu, neu'n gwneud gwaith o gwmpas y tŷ, dydi cael rhiant sydd â dementia cynnar ddim yn esgus dros beidio â gwneud eu gwaith cartref neu dros beidio â chymryd rhan mewn digwyddiadau cymdeithasol.
5. Peidiwch â bod yn rhy ddiflas a thywyll am y dyfodol. Mae rhai pethau pwysig mae'n rhaid i chi eu gwneud, fel y nodwyd ym Mhennod 4, ond unwaith mae'r rheini wedi'u gwneud, trïwch wynebu pethau un dydd ar y tro.
6. Trïwch gael adegau o hwyl. Dydi cael diagnosis o ddementia cynnar ddim yn rhywbeth i'w dderbyn yn ysgafn, ond dydi bywyd ddim yn gorffen ar unwaith. Efallai y bydd blynyddoedd o fywyd da eto o'ch blaen – gwnewch yn fawr ohonyn nhw.
7. Os ydych chi wastad wedi bwriadu gwneud rhywbeth neu fynd ar wyliau i rywle arbennig fel teulu, ceisiwch wireddu'r freuddwyd honno cyn gynted â phosibl.
8. Yr hyn sydd ei angen ar y teulu yw cefnogaeth gyson, tymor hir. Dysgais fod hyn yn arbennig o bwysig i'n plant. Efallai fod yna rai pethau tymor byr lle byddai cyfnod o gael cyngor neu gymorth arall yn fuddiol, ond os yw cefnogaeth tymor hir yn anodd (sy'n wir am nifer o sefydliadau) efallai y byddai'n well rhoi'r ymdrech i gefnogi'r oedolion sy'n ymwneud fwyaf â'r plant. Fe ges i lawer o gefnogaeth gan fudiad o'r enw SeeSaw, sy'n cefnogi teuluoedd a phlant sydd wedi colli rhiant. Doeddwn i ddim yn siarad â'r un person bob amser, ond doedd dim rhaid i fi ddechrau pob sgwrs drwy esbonio pwy oeddwn i a rhoi cefndir y teulu.

Mae The Clive Project wedi tyfu'n aruthrol. Yn ogystal â'r ymchwilydd gwreiddiol, sy'n dal i fod gyda'r prosiect, mae gennyn ni 13 o weithwyr cymorth erbyn hyn sy'n cefnogi 48 unigolyn â dementia, eu teuluoedd a'u ffrindiau. Dydi rhai gweithwyr cymorth ddim ond yn gweithio ychydig oriau'r wythnos, ond mae eraill yn gweithio'n llawn amser; maen nhw i gyd yn cael eu gwerthfawrogi gan y bobl maen nhw yn eu cefnogi a'r gweddill ohonon ni.

Fe wnaethon ni gais llwyddiannus i'r Loteri am arian, ac erbyn hyn rydyn ni'n cyflogi dau i gefnogi teuluoedd a ffrindiau rhai sydd â dementia cynnar. Er nad yw'r enw 'Teulu a Ffrindiau' yn un ysbrydoledig, mae'n well na'r enw gofalwr – doeddwn i ddim yn hapus o gael fy nisgrifio fel gofalwr Clive, ac mae'r un peth yn wir hefyd am eraill. Rywsut, mae'r gair yn bychanu'r gofalwr a'r un sy'n cael y gofal yng ngolwg y gymdeithas ehangach. Mae gan y prosiect galendr o weithgareddau cymdeithasol gyda theithiau cychod, garddwestau, partïon Nadolig, a theithiau i'r theatr sy'n agored i bawb. Rydyn ni'n cynhyrchu cylchlythyr dair gwaith y flwyddyn. Mae yna grŵp o deuluoedd a ffrindiau sy'n trefnu sgyrsiau a digwyddiadau cymdeithasol, ac mae grŵp 'symud ymlaen' newydd ei sefydlu i rai nad yw eu cymar yn byw gyda nhw bellach.

Sefydlodd y prosiect hefyd gysylltiadau â sefydliadau eraill sy'n gweithio gyda phobl â dementia cynnar. Mae wedi dechrau fforwm rhanbarthol yn ogystal ar gyfer grwpiau yn Swydd Rydychen, sy'n cyfarfod bob chwe mis, ac sydd wedi cael ei ddyblygu mewn rhanbarthau eraill. Mae gwasanaeth yn Swydd Caerwrangon sy'n gopi o The Clive Project, ac mae wedi bod yn llwyddiannus ers bron blwyddyn.

Mae rhagor o wasanaethau ar gael i bobl â dementia cynnar, ond mae'n dal i fod yn dipyn o loteri cod post. Mae gan rai rhanbarthau wasanaethau ardderchog, eraill dim ond ychydig, ac mae rhai rhanbarthau naill ai'n parhau i ymddwyn fel pe na bai'r fath bobl yn bod, neu ei bod hi'n bosibl iddyn nhw ddod o dan y gwasanaethau sydd eisoes yn bod. Mae cyffuriau ar gael sy'n helpu i arafu'r symptomau – ond dydyn nhw ddim yn gweithio i bawb. Cyffuriau sy'n trin y symptomau ac nid yr achos sylfaenol yw'r rhain, ond dwi wedi cyfarfod â nifer o bobl sydd wedi mwynhau blynyddoedd ychwanegol gyda'u teuluoedd o'u herwydd. Fodd bynnag, mae'r GIG yn gwrthod ariannu triniaethau i bobl â dementia cynnar gan nad yw'n 'gost effeithiol', ond maen nhw'n amharod iawn i esbonio sut ddaethon nhw i'r casgliad hwnnw. Mae NICE (y Sefydliad Cenedlaethol dros Ragoriaeth mewn Iechyd a Gofal) a'r AWMSG (Grŵp Strategaeth Meddyginiaethau Cymru Gyfan) yn dweud eu bod nhw ar gael i bobl sydd â 'dementia cymedrol'.[2] Byddai Clive heb fod yn gymwys i gael y rhain tan flwyddyn ar ôl iddo gael ei ddiagnosis. Erbyn hynny roedd yn methu deall y rhan fwyaf o'r hyn ddywedwyd wrtho, ac wedi methu byw'n annibynnol ers bron tair blynedd. Ac mae'n bosibl gwneud y prawf Mân Archwiliad Cyflwr Meddwl (MMSE: *Mini-Mental State Exam*), y maen nhw'n seilio diagnosis 'dementia cymedrol' arno, mewn pum munud.

Dwi'n credu, ar y cyfan, i ni ymdopi â salwch Clive yn well nag y gallai unrhyw un fod wedi'i obeithio. Mae'r 'ni' yna yn cynnwys ei deulu estynedig i gyd, staff y gwahanol gartrefi nyrsio, staff OPTIMA, ond yn fwy na neb, Clive ei hun.

Roedd nifer o fy ffrindiau'n methu credu pan ddywedais i wrthyn nhw fy mod yn ysgrifennu am salwch Clive. Sut ar y ddaear allwn i wynebu ail-fyw'r cyfan, a pham byddwn i'n dymuno gwneud hynny? Daeth y syniad o ddyddiau cynnar The Clive Project, a sylw un o fy nghyd-weithwyr, a ddywedodd fod salwch Clive wedi effeithio ar gymaint o bethau na fyddai hi erioed wedi eu dychmygu. Dementia yw'r salwch does neb yn hoffi meddwl amdano, a'r un mae'r mwyafrif yn dewis ei anghofio, os ydyn nhw'n gallu. Mae pobl yn peidio â bod yn bobl ar unwaith ar ôl iddyn nhw gael diagnosis. Dyna, mae'n siŵr, pam nad oedd yr ymgynghorydd yn teimlo'r angen i ddweud wrth Clive ei hun am y diagnosis, a'r nifer o bobl eraill oedd yn barod i drin a thrafod Clive â fi o'i flaen. Doedd Clive ddim yn barod i dderbyn hyn; roedd yn agored ynglŷn â'i salwch, ond nid oedd erioed wedi meddwl bod ei salwch yn lleihau ei hawliau na'i bersonoliaeth. Yn anffodus, yr hyn a leihaodd yn y pen draw oedd ei allu i ddefnyddio iaith i gyfathrebu, ac yna'i allu i ddeall y byd o'i gwmpas. Ond roedd ei bersonoliaeth yn dal i fod yno ac yn weladwy i bawb oedd yn ei

2 Y Sefydliad Cenedlaethol dros Ragoriaeth mewn Iechyd a Gofal (2018), canllaw clinigol NICE NG97, *Dementia: assessment, management and support for people living with dementia and their carers.* Ar gael ar https://www.nice.org.uk/guidance/ng97/chapter/Recommendations#pharmacological-interventions-for-dementia, cyrchwyd 27 Mawrth 2019.

adnabod yn dda. Daeth staff ei gartref nyrsio olaf i angladd Clive, a sôn yn deimladwy am ei synnwyr digrifwch, ei ddycnwch a'i ystyriaeth o eraill. Dwi'n siŵr i rywfaint o hynny ddod o'r hyn roedden nhw yn ei weld yn ei deulu a'i ffrindiau, ond daeth llawer ohono hefyd o Clive ei hun. Ond eto, pan ddaethon nhw i adnabod Clive gyntaf nid oedd yn gallu siarad nac adnabod ei deulu.

Yr hyn dwi'n fwyaf diolchgar amdano yw ein bod ni'n dal i fod yn deulu. Ychydig ar ôl i Clive gael ei ddiagnosis, ysgrifennais fy mod i'n gobeithio y byddai'r plant yn ei gofio gydag anwyldeb, ac yn parhau i siarad â fi. Maen nhw'n dal i wneud y ddau beth hynny.

Gan nad yw Clive bellach gyda ni, dydi'r llyfr hwn ddim iddo ef. Yn hytrach, mae i'r holl bobl iau eraill â dementia, eu teuluoedd a'u ffrindiau, gan obeithio'u bod nhw'n gallu dysgu o'i brofiadau, ac efallai y bydd eu bywydau nhw'n gallu bod ychydig yn haws.